D0892667

ABSOLUTION

Alain Lafrance

ABSOLUTION

Aventures et guérisons...
Rome et l'Islam confrontés
à un phénomène inexpliqué

Roman

MARCEL BROQUET
La nouvelle édition

Catalogage avant publication de Bibliothèque et Archives nationales du Québec et Bibliothèque et Archives Canada

Lafrance, Alain, 1940-

Absolution : aventures et guérisons : Rome et l'Islam confrontés à un phénomène inexpliqué

(Inédit)

ISBN 978-2-923715-27-8

I. Titre. II. Collection : Inédit (Saint-Sauveur, Québec)

PS8623.A37A772 2010 C843'.6 C2009-942764-8
PS9623.A37A772 2010

Pour l'aide à la réalisation de son programme éditorial, l'éditeur remercie la Société de Développement des Entreprises Culturelles (SODEC)

Marcel Broquet Éditeur
55A, rue de l'Église, Saint-Sauveur (Québec) Canada J0R 1R0
Téléphone : 450 744-1236
marcel@marcelbroquet.com • www.marcelbroquet.com

Révision : Denis Poulet
Illustration de la couverture : Rosemary Arroyave
Mise en pages et couverture : Christian Campana

Distribution :

PROLOGUE

1650, boulevard Lionel-Bertrand
Boisbriand (Québec) Canada J7H 1N7
Tél. : 450 434-0306
Sans frais : 1 800 363-2864
Service à la clientèle : sac@prologue.ca

Distribution pour l'Europe francophone :
DNM Distribution du Nouveau Monde
30, rue Gay-Lussac, 75005, Paris
Tél. : 01.42.54.50.24
Fax : 01.43.54.39.15

Librairie du Québec :
Tél. : 01.43.54.49.02
30, rue Gay-Lussac, 75005, Paris
www.librairieduquebec.fr

Diffusion – Promotion :

Phoenix alliance

r.pipar@phoenix3alliance.com

Dépôt légal : 1er trimestre 2010
Bibliothèque et Archives nationales du Québec
Bibliothèque et Archives Canada
Bibliothèque nationale de France

Ce livre est une œuvre de fiction. Les personnages et l'intrigue sont dus à l'imagination de l'auteur. Tous les personnages, événements, dialogues et situations du livre sont imaginaires. Par contre les noms des lieux et des hôpitaux mentionnés sont cependant véridiques. Toute ressemblance avec des faits ou des personnages existants ne serait que pure coïncidence.

PREMIÈRE PARTIE

Tout ce que votre esprit conscient accepte comme vrai, votre subconscient va l'accepter à son tour et le produire.

– Anonyme

Ô vous qui avez cru ! Quand vous tenez des conversations secrètes, ne vous concertez pas pour pécher, transgresser et désobéir au Messager, mais concertez-vous dans la bonté et la piété. Et craignez Allah vers qui vous serez rassemblés.

– Coran, Al-Moujâdala, verset 9

Chapitre 1

Robert entra en coup de vent dans la chambre, le veston et le col de sa chemise ouverts, sa cravate légèrement défaite. L'appel qu'il avait reçu l'avait bouleversé: sa femme avait été victime d'un accident, ou d'un malaise, ça n'avait pas été clair, et avait été transportée à l'hôpital St. Joseph, à Boston. C'était l'été et il faisait chaud. L'urgence était bondée de patients qui attendaient de voir un médecin et on avait isolé Tania dans une petite chambre aux soins intensifs. Il y avait deux médecins présents, dont un prenait une lecture sur un appareil près du lit, deux infirmières, et une femme vêtue d'une robe rouge et d'un chemisier blanc. À son arrivée, tous se figèrent. Personne ne bougeait ni ne parlait. S'approchant du lit, Robert ressentit une peur étrange et resta estomaqué: une lueur blanche entourait la tête de Tania, en fait sa tête irradiait une lumière qui éclairait les instruments autour du lit.

— Nous ne savons pas ce que c'est, monsieur, dit l'un des médecins. Toutes les vérifications que nous avons faites depuis son arrivée sont normales. Son pouls, sa température, sa pression sanguine, tout est normal.

La femme à la robe rouge, une dame dans la quarantaine, d'allure sévère, les cheveux montés en chignon sur sa tête, lui tendit la main.

— Je m'appelle Grace Cameron.

Robert remarqua qu'elle portait un insigne d'identification sur lequel son nom ainsi que les mots « service de pastorale » apparaissaient. Comme il semblait perplexe et qu'il ne bougeait pas, elle reprit:

— Mon bureau est au bout de l'étage et on m'a demandé de venir voir votre femme.

Personne ne parlait. Le médecin ajouta:

— Votre femme semble être dans un sommeil profond, un coma pour ainsi dire. Nous devons pousser nos examens plus loin afin de voir si ses facultés mentales ont été affectées. Vous allez devoir nous signifier votre accord afin que nous puissions procéder.

— Est-elle arrivée ainsi? A-t-elle parlé? demanda Robert.

— Il semble que l'aura soit plus prononcée maintenant, répondit l'une des infirmières. Mais elle n'a pas parlé. En fait, elle était inconsciente à son arrivée.

— Lorsque vous serez prêt, passez à mon bureau. J'ai besoin de quelques signatures pour les examens. Je suis au B-204, dit le médecin, qui quitta la chambre, suivi de son confrère, des infirmières et de la femme à la robe rouge.

Tania respirait paisiblement. Jeune, grande et mince, on distinguait à peine sa forme sous les couvertures qui la couvraient jusqu'au cou. Robert l'embrassa sur la joue, la regarda, passa la main sur sa tête, dans la lumière, lui caressa les tempes. Au bout d'une quinzaine de minutes, il s'assit près d'elle et demeura immobile, confus. En fait il était totalement désarçonné. Il nota l'heure: 17 h 15. Le soir tombait et il songea machinalement au rendez-vous qu'il avait manqué avec un client important, aux explications qu'il allait devoir donner à tout le monde, aux questions qu'il voulait poser sur la façon dont cet accident s'était déroulé. Il s'égarait. Avec le temps, il se calma et, prenant sa femme à bras le corps, pleura doucement, ne comprenant pas ce qui se passait.

À peu près au même moment, dans un minuscule hameau près de Zaghouan, au nord-est de la Tunisie, un berger nommé Mossul, apeuré, éveillait son maître et sa maisonnée. Vêtu d'une vieille djellaba brune, ses cheveux gris en bataille, il tenait un jeune agneau dans ses bras, qui paraissait mort, ou endormi. Il montrait l'agneau au maître, le tendant au bout des bras, l'air affolé. La tête de l'agneau était entourée d'une lumière blanche, une aura.

— Il est mort ? demanda le maître.

— Non, monsieur. Il respire, répondit Mossul.

Étonné, le maître tâta l'agneau, posa sa main sur sa tête.

— Place-le dans le hangar. S'il est toujours ainsi demain, nous irons à Zaghouan voir le vétérinaire. Je ne voudrais pas que tout le troupeau attrape une maladie.

Au matin, le vétérinaire envoya chercher l'imam. Devant l'impossibilité d'expliquer la nature du mal et ses effets potentiels, ils se demandèrent si ce n'était pas un signe divin, une manifestation d'Allah annonçant un malheur quelconque, ou peut-être un événement heureux. Le vétérinaire décida de garder l'agneau près de lui afin de mieux surveiller le déroulement de cette étrange manifestation.

∞

À Washington, un agent spécial de la CIA était en discussion avec le lieutenant Mahmoud Mishra, des forces terrestres de l'armée. La cour martiale avait récemment déclaré le lieutenant Mishra coupable de meurtre. Il avait été impliqué dans une opération de contrôle en Irak et avait ordonné à ses hommes de faire feu sur un camion dont le conducteur n'avait pas respecté les tirs d'avertissement que ses blindés légers effectuaient. Le camion s'était renversé dans le fossé profond qui bordait la route. Mishra et ses hommes s'étaient prudemment approchés et, voyant que le conducteur du camion ainsi que deux femmes qui étaient avec lui essayaient de fuir, il les avait lui-même froidement abattus. C'étaient des civils, non armés. Le camion transportait des approvisionnements alimentaires.

L'agent de la CIA, un café à la main, était debout, accoudé au dossier de son fauteuil et faisait face au lieutenant Mishra, assis devant lui. Ce dernier était un jeune homme dans la vingtaine, mince, le teint brun, les cheveux noirs coupés très courts, à la façon militaire. Ils discutaient depuis plus de trente minutes déjà.

— Vous me parlez de missions spéciales, monsieur, dit Mishra. Il s'agit de situations de force extrême, n'est-ce pas?

— Oui.

— Au pays?

— Où nous vous demanderons d'agir, lieutenant.

— La nouvelle identité dont vous me parliez plus tôt, elle serait disponible à quel moment?

— Elle est déjà disponible, lieutenant. Votre situation personnelle nous permet d'ailleurs une mise en opération immédiate. Ou du moins dès que vous aurez terminé la courte période de formation que nous avons préparée.

L'agent faisait référence au fait que le lieutenant Mishra n'avait aucune famille aux États-Unis et que depuis son arrestation en Irak six mois auparavant, la publicité entourant son crime avait cessé.

Mishra raisonnait qu'il n'avait pas d'autre choix que d'accepter la proposition de l'agent. Sa carrière était terminée et sa sentence serait probablement une lourde peine de prison, peut-être même la mort. C'était un homme d'action et il se décida sur le champ.

— J'accepte votre proposition, monsieur.

Chapitre 2

Tania Fixx était à l'hôpital depuis trois semaines. Transférée à l'Institut de neurologie non loin de la ville, elle avait subie une batterie de tests qui tous étaient demeurés non concluants. Elle était apparemment en parfaite santé, mais dans un coma quelconque.

L'aura qu'elle projetait s'était non seulement intensifiée, mais elle couvrait maintenant tout son corps. Robert admettait mal la curiosité qu'elle provoquait auprès du personnel et fut surpris de voir son cas mentionné aux nouvelles télévisées, surtout d'entendre le qualificatif de « cas non naturel » qui fut utilisé.

Il était auprès de Tania lorsque le médecin qui la traitait, le jeune docteur Dover, lui demanda:

— Monsieur Fixx, nous avons consulté plusieurs autres spécialistes en neurologie et le cas de votre femme demeure sans réponse. Par contre, plusieurs demandes nous ont été faites d'autoriser des examens paramédicaux, ou même non médicaux.

— Paramédicaux ? demanda Robert, surpris, sans réellement saisir ce que lui disait le médecin.

— Comme nous ne savons pas jusqu'à quel point elle est sensible aux stimuli qui l'entourent, nous aimerions tenter de communiquer avec votre femme à l'aide de méthodes inspirées de l'hypnose.

Robert ne répondit pas. La situation débordait du cadre de référence auquel il était habitué. Il acquiesça aux demandes de communication qu'il assimilait à l'hypnose même si ça lui apparaissait sans lendemain, mais refusa toute autre initiative avant d'y avoir mieux réfléchi.

Une semaine s'écoula. Toutes les tentatives de communication paramédicales échouèrent, comme tous s'y attendaient d'ailleurs. L'aura lumineuse s'était aussi intensifiée. La nuit, lorsqu'on retirait les couvertures de son lit, Tania éclairait littéralement sa chambre d'une lumière blanche, douce.

Le docteur Dover organisa alors une rencontre avec Robert. Lorsqu'il se présenta au bureau du médecin, Robert était inquiet. Il fut surpris de constater que ce dernier était entouré de trois autres personnes: un homme vêtu d'un complet bleu marine qui paraissait être dans la cinquantaine, la dame du service de pastorale qu'il avait déjà rencontrée et, comme son épouse et lui étaient officiellement de religion catholique romaine, un des évêques auxiliaires du diocèse, un type assez âgé, rondelet, presque chauve.

— Monsieur Fixx, dit Grace Cameron, nous aimerions vous aviser d'événements qui nous semblent particulièrement troublants.

Elle marqua un temps d'arrêt et reprit:

— Plusieurs des infirmières nous rapportaient depuis quelque temps qu'elles se sentaient calmes, reposées, très en forme après avoir été en contact avec votre épouse.

Robert la regardait, surpris.

— Il y a deux semaines, continua Grace, une infirmière nous a révélé que les migraines dont elle souffrait depuis son enfance avaient complètement disparu depuis qu'elle s'occupait de Tania.

— Que voulez-vous dire? demanda Robert, tout à fait incrédule.

Le docteur Dover enchaîna:

— Après cette révélation, si je peux parler ainsi, nous avons décidé de faire un test contrôlé. Une de nos infirmières souffrait d'un cancer du sein assez avancé, et nous l'avons mise en service auprès de votre femme.

Il regarda Robert intensément et poursuivit:

— Elle est maintenant complètement guérie. Après à peine une semaine.

Robert se leva d'un bond et agrippa le rebord du bureau devant lui. Le cœur lui battait dans la poitrine.

— Guérie ? Simplement en étant près de ma femme ?

Le docteur Dover reprit :

— Aussi incroyable que cela puisse paraître, oui, monsieur Fixx.

Il continua, après un moment de silence :

— Il semble que le rayonnement émis par votre épouse soit la cause de ces guérisons, ou du moins de ces améliorations, car nous ne pouvons pas présumer de leur durée.

Personne ne parla pendant un long moment.

L'homme au costume bleu marine prit la parole :

— Permettez-moi de me présenter, monsieur Fixx. Je m'appelle Graham Rooke. Je suis attaché à un service de recherche qui fait partie de la CIA. Nous avons été mis au courant récemment du cas de votre épouse, lequel est sans précédent à notre connaissance. Nous aimerions être en mesure de transférer votre épouse dans un centre médical sous surveillance spéciale afin d'étudier l'évolution de son étrange condition.

Robert, bien qu'étonné, n'y voyait aucun problème. Il demanda quand même :

— À quel centre médical faites-vous allusion, monsieur Rooke ?

— À celui de la base militaire non loin d'ici, monsieur Fixx.

Il ajouta, après quelques secondes de silence :

— Je dois aussi vous aviser que le cas de votre épouse a été classé secret. Malheureusement, tout nouveau développement, jusqu'à nouvel ordre, ne pourra être rendu public et aucun visiteur ne sera autorisé à la voir, sauf vous, bien sûr, et sa famille immédiate.

Nouveau silence. Robert réagit enfin :

— Ma femme n'est quand même pas un cobaye, monsieur Rooke. Il me semble que le docteur Dover et son équipe sont à même de suivre l'évolution…

Cooke l'interrompit :

— Malheureusement, monsieur Fixx, je dois vous informer qu'il s'agit pour l'instant d'un cas de sécurité nationale et qu'aucune obstruction ne peut être tolérée. Je m'en excuse. Je suis certain cependant que cette situation n'est que temporaire et que madame Fixx pourra être traitée à l'hôpital de votre choix dès que nous aurons terminé nos évaluations.

Robert réagit brusquement à l'interruption et répliqua:

— Je ne fais pas d'obstruction, monsieur. Et je n'aime pas votre ton. Personne ne m'a consulté au sujet de ce transfert. Dorénavant, vous voudrez bien me consulter avant de prendre toute décision.

L'évêque prit alors la parole.

— Monsieur Fixx, madame Cameron m'a signalé le cas de votre épouse il y a quelque temps et j'ai pris la liberté d'en discuter longuement avec les médecins ici présents.

— Je ne crois pas aux superstitions ou aux miracles, dit Robert.

Il se demandait d'ailleurs ce que faisait l'évêque dans cette réunion.

— Nous non plus, monsieur Fixx, reprit l'évêque sur un ton très sérieux.

— Mais devant ce qui se passe ici, avouez que les explications rationnelles sont plutôt difficiles.

Robert se ravisa et, s'adressant à Graham Rooke, demanda:

— Quand le transfert aura-t-il lieu?

— Immédiatement.

Le docteur Dover se leva, alla nerveusement à la fenêtre, puis vint se rasseoir.

— Évidemment, tout cela aura un impact énorme dès que les médias en parleront...

Sitôt qu'il eut quitté l'Institut de neurologie, l'évêque auxiliaire du diocèse, Paul Cross, appela le cardinal Purcell.

— J'ai pris contact avec le mari de madame Fixx, monseigneur, comme vous me l'aviez demandé.

— Merci Paul, répondit monseigneur Purcell. Quelle est votre évaluation de la situation?

— Les faits qu'on m'a rapportés et dont je vous ai informé sont véridiques, monseigneur. Les guérisons sont réelles, médicalement vérifiées.

— Vraiment?

L'évêque ne répondit pas et il y eut un long silence. Visiblement, le cardinal Purcell soupesait cette information.

— Comment se comporte monsieur Fixx, Paul?

— C'est un homme sincère, je crois. Sans plus, monseigneur. Les quelques vérifications que j'ai pu faire semblent indiquer que monsieur et madame Fixx forment un jeune couple heureux et uni.

Nouveau silence, un peu embarrassant cette fois-ci.

— Merci, Paul. Gardez le contact avec monsieur Fixx. Tenez-moi au courant. Je vous rappelle au besoin.

Deux jours plus tard, les journaux locaux, la radio et la télévision rapportaient le cas de Tania Fixx et les guérisons qu'elle avait réalisées. On mentionnait aussi son transfert à l'hôpital de la base militaire sur demande du Pentagone, sous prétexte d'évaluations scientifiques du ressort exclusif des ressources de cet hôpital.

À la demande du cardinal Purcell, Paul Cross appela Robert peu après et l'invita pour le lunch. Vêtu d'un costume noir, d'une chemise blanche et d'une cravate, l'évêque ressemblait plus à un homme d'affaires qu'à un membre du clergé. Bien qu'il eût accepté le rendez-vous, Robert était sur ses gardes et se promettait bien de ne pas se laisser influencer par le discours de l'évêque.

Ils prirent une bière, et la conversation démarra immédiatement.

— Nous devons nous préparer, Robert, dit l'évêque. Votre femme, Tania, va probablement susciter un mouvement de foi, si on peut dire, qu'on n'a pas vu depuis longtemps.

Robert regardait l'évêque avec une certaine ironie et lui demanda de façon brusque et un peu sarcastique:

— La foi, la foi, monsieur l'évêque, c'est un peu dépassé ici, non?

L'évêque Cross ne parut pas remarquer le ton cinglant de Robert et ne broncha pas.

— Appelez-moi Paul, Robert. Ce que je cherche à vous faire comprendre, c'est que plusieurs personnes vont attribuer à votre femme des pouvoirs miraculeux. Immanquablement, ils vont essayer d'en tirer parti, certains de façon décente, d'autres de façon, disons, moins catholique.

Il avala une gorgée de bière et reposa lentement son verre sur la table.

— Nous en avons vu d'autres, vous savez, Robert. Et je veux vous mettre en garde.

Ce discours inattendu surprit Robert, qui envisagea alors la rencontre d'un autre œil. Un peu mal à l'aise, il regrettait la façon cavalière dont il avait apostrophé l'évêque quelques secondes plus tôt.

— Où voulez-vous en venir exactement, Paul?

— À ceci: pour l'instant, l'impact des événements reliés à votre femme est demeuré local. Mais son isolement à la base militaire ne pourra probablement pas être maintenu indéfiniment, surtout si elle sort de son coma. Qu'on le veuille ou non, Robert, ce cas dépassera les limites du pays, et même du continent. Compte tenu de sa nature, l'élément religieux sera intimement mêlé à l'aspect médical, et vous en ferez partie.

Le repas arrivait et ils se turent un instant. Robert était perplexe. Paul semblait vouloir le prémunir contre d'éventuels dangers que Robert entrevoyait mal, assimilant bien plus le cas de Tania à un malentendu médical qu'à une quelconque expérience religieuse.

— Il y a plus, Robert, enchaîna Paul. La chrétienté n'est pas seule à revendiquer des cas que certains disent miraculeux. L'islam a aussi ses cas d'intervention divine. D'ailleurs, le prophète Mahomet ne serait-il pas monté au ciel à Jérusalem même selon leur tradition? Et vous n'êtes pas sans savoir que les querelles religieuses actuelles sont propices à de fâcheuses interventions.

Robert était maintenant à la fois intéressé et sur ses gardes. Mais surtout, il craignait pour sa femme qu'il espérait toujours retrouver en santé dans un avenir prochain.

— Vous croyez que Tania est en danger? dit-il.

— Nous sommes tous en danger, Robert, en ce sens que nous ne savons pas qui sera l'ennemi s'il y en a un, ni ce qu'il fera. Mais une chose est sûre, les événements qui ont été déclenchés par votre épouse auront des répercussions, répliqua l'évêque.

La discussion prit ensuite un tour moins sérieux. Robert essaya bien de faire parler Paul plus longuement sur ce qu'il croyait être un message de danger, mais ce dernier soit ne voulut pas lui donner plus de détails, soit ne savait pas exactement où ni comment ces éventuels dangers se matérialiseraient.

Paul Cross appela monseigneur Purcell et lui fit un compte-rendu de la rencontre dès que Robert fut parti.

~

ꟹ

L'accès à l'hôpital militaire était étroitement contrôlé, et là encore, plusieurs sections restaient inaccessibles à moins d'autorisation spéciale. Pour lui faciliter la vie, on avait délivré deux cartes d'accès à Robert: la première lui permettait de franchir le poste de contrôle principal sans autre vérification et la deuxième lui donnait accès à la section des études neurologiques où Tania avait été placée. Il pouvait la visiter en soirée seulement.

Au début, Robert se rendait à l'hôpital à la fin de chaque journée. Ingénieur en télécommunications, il lui était facile d'organiser son temps et de quitter le bureau un peu plus tôt afin d'être en mesure de passer plus de temps auprès de sa femme. Il s'asseyait près du lit et la regardait, lui parlant souvent, en espérant une réaction de sa part. Il la touchait, observant l'effet de la luminosité qu'elle dégageait sur ses mains, ses bras. Il était toujours seul. Les parents de Tania, assez âgés, vivaient à l'étranger et, bien qu'inquiets de son sort, ne pouvaient se déplacer. Le personnel infirmier était courtois, mais il était impossible d'obtenir des précisions sur l'évolution des examens auxquels Tania était soumise. Tout allait toujours pour le mieux, son état était très stable, bref on le tenait à l'écart.

Jusqu'à ce qu'un soir on lui apprenne que Tania avait bougé durant la journée. Elle avait remué les doigts et ouvert la bouche, comme si elle essayait de parler.

Le médecin traitant l'appela le lendemain et lui demanda de se présenter l'après-midi même à son bureau vers 16 h. L'agent de la CIA, Graham Rooke, était présent.

— Je sais que vous êtes déjà au courant du progrès réalisé par Tania, dit le médecin sans autre préambule. Nous pensons qu'elle pourrait sortir de son coma sous peu. Il y a cependant des faits que je dois vous communiquer.

Le médecin se cala dans son fauteuil.

— Nous avons fait plusieurs analyses sur les effets du rayonnement émis par votre épouse. Tenez-vous bien, monsieur Fixx. Ce rayonnement a guéri, après simple exposition de quelques secondes seulement, un cancer du sein, un cancer du poumon très avancé, une leucémie, un cas de maladie de Parkinson, un cas de fibrose cystique et, notre dernier test, un cas de maladie d'Alzheimer.

Il reprit après une courte pause:

— Par contre, des analyses de sang et d'urine n'ont donné aucun résultat, en ce sens que ces liquides n'ont que des propriétés normales. Même s'ils sont légèrement luminescents.

Robert était sidéré. Mais comme il se préoccupait de l'état de Tania, il demanda:

— À son réveil, docteur, ma femme sera-t-elle normale?

— Nous l'espérons, monsieur. Nous le croyons. Aucune anomalie de quelque nature que ce soit n'a été détectée.

Il y eut un long silence. Robert avait bien entendu ce que rapportait le médecin, mais n'en avait pas vraiment enregistré l'importance ni la portée. Il ne pensait qu'à Tania, à son retour à l'appartement, aux problèmes que poserait sa luminosité.

L'agent Rooke prit la parole:

— Je dois aussi vous informer, monsieur Fixx, que votre épouse devra être l'objet de contrôles spéciaux après son éveil.

— Des contrôles spéciaux?

— Plus exactement, monsieur Fixx, on m'informe que la nature des pouvoirs qu'elle possède demande qu'elle soit constamment sous supervision de nos services de surveillance. Elle sera bien sûr libre de ses gestes, mais toute situation impliquant ses dons devra être vérifiée par les conseillers qui lui seront affectés.

Robert n'apprécia pas cette intrusion de l'agent Rooke ni cette attitude de contrôle total qu'il semblait vouloir imposer.

— Monsieur Rooke, je crois qu'il est temps que je fasse appel à un avocat. Je ne crois pas que vous ayez l'autorité ni le droit d'agir ainsi, et je m'y oppose. Je vous demande donc d'appeler mon avocat. Je vous donnerai ses coordonnées demain matin.

L'agent Rooke regarda longuement Robert dans les yeux avant de répondre.

— Si c'est votre décision, monsieur Fixx.

Puis il ajouta:

— Il y a aussi la question des médias. Le cas de votre femme a déjà fait le tour du globe, monsieur Fixx, et suscite une curiosité bien compréhensible, particulièrement du milieu scientifique. Nous pensons que la meilleure approche est de rendre publiques les informations que nous possédons. Un de nos conseillers en communication rencontrera donc la presse écrite et télévisée sous peu. Les équipes scientifiques de notre centre médical enverront aussi des articles appropriés aux magazines spécialisés. Voilà.

⁂

À la grande joie de Robert, Tania Fixx sortit de son coma cinq jours plus tard.

En parfaite santé.

⁂

À Washington, le lieutenant Mahmoud Mishra terminait plusieurs jours de préparation intensive à son nouveau travail d'agent spécial. Convoqué à une session d'information, il était maintenant en présence du directeur de son service.

— Voici votre nouvelle identité, dit ce dernier en déposant un dossier sur la table de travail à proximité.

Il ouvrit le dossier et en tira un passeport, un permis de conduire et une carte de crédit. Il prit le passeport et l'ouvrit à la première page.

— À partir de maintenant, vous vous appelez Amir Sharouf, et il remit le passeport sur la table.

Le directeur continua:

— Prenez le temps d'apprendre le contenu de ce document, dit-il en saisissant plusieurs pages agrafées ensemble. C'est votre passé. L'endroit de votre naissance et plusieurs éléments de votre propre vie ont été retenus pour vous faciliter la tâche.

— Qui était Amir Sharouf? demanda le lieutenant Mishra.

— Amir Sharouf n'a jamais existé.

Le directeur replaça le document sur la table.

Chapitre 3

Mossul craignait que le vétérinaire le blâme pour la maladie de l'agneau. Il avait peur que son maître le chasse, le privant ainsi des maigres revenus que son travail de berger lui rapportait. Il alla donc voir le vétérinaire pour lui demander de lui rendre l'agneau que ce dernier avait gardé sous observation. Le vétérinaire refusa catégoriquement, soulignant l'impertinence de sa demande et sa responsabilité envers son client, le maître, et non pas envers lui, le berger.

Mossul demanda tout de même à voir l'agneau, qui se trouvait dans une petite salle isolée depuis plusieurs jours. Il constata que l'animal avait maintenant tout le corps illuminé. L'aura le couvrait entièrement. L'agneau semblait dormir paisiblement, et même s'il n'avait pas mangé ni bu depuis quelques jours, il paraissait en aussi bon état qu'avant son sommeil comateux. Le berger le caressa longuement, des deux mains, plongeant dans sa toison grisâtre, la luminosité de l'agneau enveloppant tout le haut de son corps. Mossul, qui avait dépassé la cinquantaine, souffrait d'arthrite depuis de nombreuses années et il appréciait la chaleur du corps de l'agneau sur ses mains aux doigts déformés.

Le lendemain, Mossul essaya de nourrir l'agneau au biberon. Contre toute attente, l'agneau but. Excité, Mossul courut chercher le vétérinaire pour lui montrer que l'agneau mangeait, qu'il était capable de réagir. Surpris, le vétérinaire examina l'agneau et, voyant qu'il demeurait comateux même s'il était capable de boire au biberon, il décida de continuer à le garder sous observation. Il avisa tout de même l'imam de ce fait inattendu. Ce dernier se montra perplexe, surtout compte tenu de la nature du phénomène de luminosité qui s'était amplifié.

Mossul continua à visiter l'agneau et à s'en occuper dans les semaines qui suivirent. À la longue, il s'aperçut que non seulement ses douleurs arthritiques avaient disparu, mais aussi que ses doigts reprenaient leur forme, ses mains guérissaient. Au début, il ne fit pas le lien avec l'agneau. Puis, comme tout le monde avait entendu parler du cas mystérieux de Tania Fixx et des guérisons attribuées à son rayonnement inexpliqué, il prit conscience que ses mains avaient guéri parce qu'il manipulait régulièrement l'agneau lumineux. Fou de joie, il en prévint l'imam, affirmant que l'agneau l'avait guéri, que c'était la lumière d'Allah qui brillait à travers l'agneau.

L'imam remercia Dieu mais resta sur ses gardes. Comme il ne savait comment procéder dans une situation que ni le Livre ni aucun document antérieur connu ne commentait, il en avisa son supérieur afin de s'assurer que la communauté religieuse fût informée de ce qui se passait. Il fut plus que surpris quant la réponse qui lui revint lui commandait de se débarrasser de l'agneau: Allah ne pouvait se manifester dans un animal et tout refus de la part de l'imam serait vu comme un refus d'obéir à la loi de Dieu.

Avisé par le vétérinaire, le maître reprit l'agneau et demanda à Mossul de s'en débarrasser en le tuant et de ne pas le consommer par crainte d'être infecté par un mal quelconque.

Mossul se rebella. Non seulement il refusa d'obtempérer, mais il perçut comme une atteinte directe à Dieu, son Dieu, le fait de ne pas reconnaître les pouvoirs spéciaux que Dieu lui-même avait mis en l'agneau et qui s'étaient manifestés aux yeux de tous ceux qui voulaient bien vérifier par eux-mêmes. Profitant de la tombée du jour, il prit l'agneau, quelques provisions tant pour lui que pour l'agneau, et s'enfuit dans les montagnes du Djebel Zaghouan, loin de la ville.

Durant les jours et les semaines qui suivirent, on fut sans nouvelle de Mossul et de son agneau lumineux. On en conclut qu'ils s'étaient probablement fait tuer. Mais ce n'était pas le cas. Mossul avait quitté les montagnes et rejoint un campement de Bédouins qu'il connaissait bien.

Rapidement, les pouvoirs de l'agneau non seulement émerveillèrent les membres de cette bande, mais Mossul prit sur eux un ascendant tenant à la fois d'une autorité quasi princière et d'un réel pouvoir religieux.

En peu de temps, l'agneau lumineux de Dieu, comme tout le monde désignait maintenant autant Mossul que l'animal lui-même, parcourut plusieurs villes et villages du sud de la Tunisie. Ce qui bien sûr alluma la curiosité des médias ainsi que des pouvoirs tant civils que religieux de tout le Maghreb. On dépêcha des reporters, et la nouvelle fit le tour du globe: il y avait un agneau lumineux qui semblait détenir des pouvoirs similaires à ceux de Tania Fixx, la femme lumineuse qui guérissait les cancers. Cet agneau lumineux était le compagnon d'un berger qui répandait « la bonne nouvelle », laquelle, bien qu'elle fût islamique, différait passablement des enseignements du Coran.

Cette activité médiatique suscita une curiosité énorme dans le monde islamique. Tout cela se cristallisa en un mouvement spontané de plusieurs centaines de fervents dont la plupart provenaient d'Égypte et d'Afrique du Nord. Ils reconnaissaient Mossul, l'agneau lumineux de Dieu, comme un envoyé divin. Fanatiques et dévoués, plusieurs se joignirent à lui, se méprenant souvent sur les intentions réelles de l'agneau lumineux de Dieu, mais prêts à défendre toute atteinte à ce qu'ils assimilaient à une doctrine.

Le Pentagone réagit immédiatement aux nouvelles provenant de Tunisie. La CIA analysa rapidement les informations de ses agents sur place et demanda à deux de ceux-ci de se joindre au mouvement qui s'était formé autour du berger Mossul.

Chapitre 4

L'éveil de Tania avait été abondamment rapporté, commenté et analysé dans les médias. Mais comme elle était encore sous surveillance médicale et à toutes fins utiles inaccessible, Robert était constamment sollicité par les chaînes télévisées pour des entrevues à son sujet. Tout développement était guetté, toute communication médicale analysée. Tania avait été le sujet de plusieurs articles dans des magazines spécialisés en biologie, médecine, psychologie, bref elle était l'intrigue du siècle, du millénaire même. Robert se rappelait entre autres un article qu'on avait porté à son attention et qui se terminait ainsi:

« Bref, toute explication du cas Tania Fixx reste pour l'instant impossible. Elle ne diffère pas des autres humains, son activité cellulaire est similaire à celle des autres humains, son cerveau ne montre pas, selon ce qu'il nous a été possible de vérifier, de différences notables avec celui des humains contemporains. Énergétiquement parlant, c'est un mystère. Les radiations émises, bien que mesurables, sont inexplicables, de même que leurs effets. Tout le domaine de la connaissance du cerveau est remis en cause, de même que plusieurs aspects de la nature même de la matière telle que nos théories la définissent actuellement. »

Il y avait plus de trois mois maintenant que l'accident s'était produit. En fait, ça n'avait pas été réellement un accident. Tania était au travail, au centre de réhabilitation Auburn de Boston. Elle avait fait des études poussées en sciences sociales et son tempérament de même que sa compassion innée l'avaient dirigée vers la réhabilitation de criminels, qu'elle considérait plutôt comme des personnes que la société avait abandonnées. Elle s'était tout simplement évanouie, à son bureau, et une aura lumineuse était apparue autour de sa tête. Une ambulance l'avait conduite à l'hôpital et le patron de Tania avait immédiatement contacté Robert.

Tania était toujours sous observation à l'hôpital militaire. Comme il franchissait la barrière d'entrée du stationnement, Robert reconnut Grace Cameron qui s'apprêtait à en sortir, accompagnée du docteur Dover de l'Institut de neurologie. Il l'interpella:

— Madame Cameron! Vous avez rendu visite à Tania?

Le docteur Dover prit immédiatement la parole:

— Ah! Monsieur Fixx. Nous essayons de vous joindre sans succès depuis quelques jours. Plusieurs organisations de patients ainsi que l'Institut de neurologie lui-même aimeraient vous inviter à une discussion sur l'aspect médical des interventions reliées au rayonnement lumineux de votre épouse.

Robert s'excusa prétextant un emploi du temps très chargé. En fait, il avait ignoré leurs messages, surtout ceux de Grace Cameron, sans réelle raison d'ailleurs si ce n'est un manque de conviction concernant le travail de cette dernière. Il accepta quand même l'invitation du docteur Dover et se présenta quelques jours plus tard à l'heure et l'endroit convenus.

Plus de vingt personnes étaient rassemblées autour de tables disposées en U. On l'avait convié à s'asseoir à côté de l'animatrice, Claudia Pérot, laquelle lui avait remis un court document décrivant brièvement la raison de la rencontre, ainsi que les noms et fonctions des participants.

La séance débuta par une description de l'état de Tania et la présentation des résultats des recherches faites à ce jour sur le pouvoir de guérison du rayonnement lumineux. Les médias avaient fortement mis en évidence ce pouvoir.

Une question surprit tout le monde:

— Madame Pérot, et monsieur Fixx aussi, je représente un groupe national de soutien des malades atteints de cancer. Pour nous, monsieur Fixx, votre épouse Tania représente un cadeau du ciel. Nous croyons que ses dons devraient être rendus accessibles au plus grand nombre de malades possible.

Robert se crispa et se redressa dans son fauteuil. Il voyait bien où la question menait.

— Comme la guérison se produit après une exposition aux rayons émis par madame Fixx, continua le participant, nous croyons que cette femme devrait accepter que les malades qui le désirent puissent bénéficier de ce rayonnement. Tous les malades qui le désirent, monsieur Fixx. C'est un privilège auquel l'humanité a droit, d'autant plus que l'impact sur madame Fixx serait complètement nul.

Robert se leva d'un bond, ne sachant comment réagir. Plusieurs participants approuvaient la requête avec véhémence. Ainsi c'était donc ça, pensa Robert. Tania deviendrait un objet d'exposition, comme dans un cirque, tiens! Il leva les bras, demandant le silence. Claudia Pérot se joignit à lui pour rappeler l'assemblée à l'ordre. Lorsque le calme revint, l'animatrice prit la parole:

— Cette question mérite évidemment une sérieuse discussion et je suis certaine que monsieur Fixx aimerait ouvrir le débat.

Robert s'était rassis nerveusement, les mains moites. L'assemblée s'était calmée et tous le regardaient attentivement.

— Je comprends parfaitement le raisonnement derrière cette question, dit-il, mais pour des raisons que vous comprendrez aussi, je crois que cette requête est irrecevable.

Un murmure de désapprobation parcourut la salle.

— Ma femme est sous soins intensifs. Des expériences continuelles se déroulent afin de chercher à percer le mystère que son état représente. Je dois donc refuser toute demande semblable à celle que vous venez d'exprimer et je refuse même d'en parler à Tania.

Le chahut reprit jusqu'à ce qu'un homme d'âge mûr se lève et, en criant, réussisse à calmer le groupe.

— Votre femme est un don de Dieu, clama-t-il. Refusez-vous donc de partager ce que Dieu a donné à tous?

Robert réalisa immédiatement que cet homme était un exalté, mais il ne put s'empêcher de répondre:

— Dieu n'y est pour rien, monsieur. En fait, Dieu, s'il existait, pourrait s'y prendre de manière passablement plus efficace. Ma femme n'est pas un animal de cirque et je refuse qu'elle serve à de telles fins.

Des exclamations fusèrent de plusieurs endroits et Robert fut verbalement pris à partie. Un jeune homme au teint brun vêtu d'un jean et d'un veston bleu était assis à côté de l'homme qui venait de poser la question. Il se leva précipitamment et, s'avançant vers Robert, les traits durcis, sortit un revolver de sa poche de veston, le pointa calmement vers le front de ce dernier, puis, après avoir prononcé distinctement « Dieu et Allah sont un et ses créatures lui appartiennent », l'abattit d'une balle précisément entre les deux yeux.

Il s'ensuivit un chaos indescriptible, plusieurs se jetèrent sous les tables en hurlant afin de se cacher du tueur. Ce dernier voulut s'enfuir, mais deux hommes se jetèrent sur lui et l'immobilisèrent.

L'assassinat de Robert Fixx par un exalté fit le tour du monde. On avait capturé le tueur, on l'avait interrogé et mis en cellule. Il se prétendait d'un mouvement appelé l'Agneau lumineux de Dieu, lequel visait à ramener la justice parmi les hommes. L'Agneau lumineux de Dieu avait déjà fait la manchette lorsqu'on avait comparé les guérisons dues supposément au rayonnement lumineux émis par l'agneau à celles qu'on imputait à l'aura de Tania Fixx, mais le mouvement ne faisait plus parler de lui depuis un certain temps.

Chapitre 5

Vêtu d'une djellaba blanche, Mossul était assis sur un coussin confortable sous une grande tente ornée de tapis, de coffres et de petites tables sur lesquelles étaient posés des cruches d'eau, des gobelets et quelques assiettes remplies de fruits secs. L'agneau endormi à ses pieds, il baignait dans sa lumière. Chaque jour, plusieurs visiteurs se présentaient pour toucher l'agneau et se placer dans sa lumière. Il s'était développé un rite presque solennel censé rendre ces visites plus efficaces.

— Allah est grand, maître Mossul.

Ce à quoi répondait simplement Mossul:

— Allah est grand.

Puis la personne remettait une offrande à l'un des aides et s'agenouillait près de l'agneau, le caressant doucement. Le rituel durait une minute à peine. On affirmait que certaines guérisons étaient presque instantanées. D'autres nécessitaient plusieurs visites, mais ces miracles étaient très sujets à caution, aucun médecin n'étant en mesure de vérifier l'état des visiteurs avant et après leur passage.

Ce jour là, Mossul recevait, pour la troisième fois, la visite du prince Abdallah El-Zouari, jeune chef d'une famille bien connue du monde islamique nord-africain. Il était accompagné de son fils, un petit bonhomme maigrichon aux yeux éteints d'environ cinq ou six ans qui souffrait de leucémie. Le prince faisait partie du Conseil constitutionnel du gouvernement tunisien, une institution dont les avis avaient une grande influence sur l'ensemble des activités de la république. Il avait aussi ses entrées auprès de l'élite musulmane et était très près du ministre des Affaires religieuses.

Après la cérémonie habituelle, comme on était à la fin de la journée, le prince demanda à s'entretenir en privé avec Mossul.

— Maître Mossul, dit le prince, mon fils est guéri. La médecine officielle n'avait pas réussi ce que vous avez accompli en quelques visites.

— Je n'ai rien accompli, prince, seul Allah est maître de nos destinées.

— Je sais, Mossul. Et je réalise bien ce qui se passe. C'est pourquoi je vous demande de vous joindre à moi et ma famille, de venir habiter avec nous. Vous et l'agneau pourront guérir un plus grand nombre de malades. Je vous donnerai l'occasion de réellement mettre ses dons au service de la communauté.

— Vous savez, prince, que mes aides voudront rester près de moi, dit Mossul.

Les aides représentaient une vingtaine de personnes qui gravitaient autour de Mossul. Quelques jeunes muftis; quelques personnes politiquement impliquées qui cherchaient à tirer avantage de la situation; puis un bon nombre de fervents adeptes du message de l'Agneau lumineux de Dieu, « la bonne nouvelle », une histoire inspirée du Coran que des religieux autour de Mossul avaient rapidement mis sur papier.

— Tes aides sont les bienvenus, répondit simplement le prince.

Plusieurs jours plus tard, une caravane constituée de véhicules Land Rover et d'un autobus emmenait les aides et les assistants de Mossul à Oued Ellil, non loin de Tunis, chez le prince. Ce dernier possédait un petit domaine avec jardins et piscine, entouré de murets, que les résidents se plaisaient à appeler le Palais. Non loin de là, plusieurs villas appartenaient aussi au prince. Il les utilisait pour ses invités, ou les louait, tout simplement. Ce serait là que Mossul et ses gens seraient logés.

Mossul et l'agneau avaient fait le voyage la veille par hélicoptère. Les préparatifs avaient été tenus secrets jusqu'au dernier moment pour ne pas créer de désordre. À mesure qu'elle avançait, la caravane s'enrichissait de nouveaux véhicules bondés de curieux et de malades qui espéraient voir et toucher l'agneau, et ce n'est qu'après un arrêt et de longues explications qu'on réussit à leur faire comprendre que Mossul et l'agneau ne se trouvaient pas dans la caravane.

Peu de temps après ce déménagement, on apprit l'assassinat de Robert Fixx. Le prince mesura rapidement la portée de la déclaration de l'assassin, qui se disait adepte de l'Agneau lumineux de Dieu. Il rencontra d'abord Zine Chikri, le ministre des Affaires religieuses, un ami de longue date. Zine Chikri avait cinquante ans, occupait son poste depuis plus de dix ans et était très près du président de la république.

— Vous ne pouvez pas laisser passer le mensonge de cet assassin. Le président lui-même a réagi fortement à cette nouvelle, affirma Zine Chikri.

— Zine, le président vient de demander au Conseil constitutionnel de se réunir pour discuter du cas de l'Agneau lumineux de Dieu et lui faire des recommandations. J'ai besoin de connaître ta position avant cette réunion.

— Le clergé est divisé, Abdallah. La faction radicale ne demande ni plus ni moins que l'éradication du problème, comme ils appellent l'Agneau lumineux de Dieu. Mais notre faction progressiste, plus nombreuse comme tu le sais, garde sa vision : l'intégration de l'Agneau lumineux de Dieu à son message. Notre position sur la scène nord-africaine en bénéficierait.

— Sans compter les retombées économiques, ajouta le prince.

Le Conseil constitutionnel recommanda au président de réfuter lui-même les allégations de l'assassin et de manifester la volonté de la république de laisser libre cours à l'œuvre de charité et d'humanité qu'était, en fait, l'Agneau lumineux de Dieu. Le Conseil demanda aussi au prince Abdallah de se servir des médias pour mieux faire connaître l'Agneau lumineux de Dieu.

Portant des djellabas, le prince et Mossul étaient assis côte à côte dans un salon modestement décoré et meublé du centre de télédiffusion, l'agneau lumineux aux pieds de Mossul. Assis en face, le reporter, un homme de trente-cinq ans environ au teint très brun, veston sombre, chemise blanche et cravate bleu foncé, prit quelques minutes pour les présentations et la mise en perspective du sujet de l'entrevue, puis posa sa première question:

— Prince Abdallah, comment reliez-vous les événements entourant la mort de Robert Fixx à votre mouvement?

— Il n'y a aucun lien, monsieur, répondit le prince. Nous connaissons bien la relation qui semble exister entre les effets que provoquent l'aura mystérieuse entourant madame Fixx et celle qui entoure notre agneau, mais, croyez-moi, toute extrapolation relève d'interprétations non fondées.

— Pourtant, l'homme qui a tué Robert Fixx a avoué faire partie de l'Agneau lumineux de Dieu. C'était donc un de vos adeptes. Était-il aussi proche de vous, maître Mossul?

La caméra cadrait en gros plan Mossul et l'agneau à ses pieds, dont on percevait nettement la luminosité sur le vêtement de Mossul.

Mossul avait pris passablement d'assurance au fil des jours et bien que simple berger peu instruit, il dégageait une force et une confiance à toute épreuve. Avant de répondre, il se pencha et prit l'agneau lumineux dans ses bras.

— Je n'ai pas d'adeptes, monsieur. Voici mon seul témoignage, dit-il en tendant l'agneau vers le reporter. Allah m'a confié la garde de sa lumière et la tâche de propager ses bienfaits.

— Vous ne répondez pas à ma question, maître Mossul.

Le prince prit alors la parole:

— Mossul n'est entouré que de quelques personnes qui l'aident à mieux concrétiser son message. L'Agneau lumineux de Dieu, comme vous l'appelez, n'est pas un mouvement politique ni une secte. Nous n'avons pas de visées reliées à quelque pouvoir que ce soit, monsieur. Nous déplorons la mort de monsieur Fixx, laquelle n'est aucunement reliée à nos activités.

Le reporter s'adressa de nouveau à Mossul:

— Maître Mossul, quel est votre but? Qu'est exactement l'Agneau lumineux de Dieu?

Mossul enfouit ses mains dans la toison de l'agneau et se pencha un peu vers l'avant, ce qui illumina complètement son visage.

— Je suis le serviteur d'Allah, lequel est amour infini. Sa lumière me permet de venir en aide aux infortunés, à tous ceux qui ont soif d'amour et d'égalité. L'Agneau lumineux de Dieu est le véhicule de ce partage.

Plusieurs questions de nature sociale et religieuse furent ensuite brièvement débattues. Mossul répondait posément et calmement à toutes les questions, répétant sans cesse son message de paix, d'amour et de partage.

L'entrevue fut évidemment diffusée dans tous les pays.

∽

Mossul reprit ses activités, secondé de ses aides, et la nouvelle se répandit que l'agneau lumineux était à Oued Ellil sous la protection du prince Abdallah.

Peu de temps après, chose miraculeuse, l'agneau se réveilla.

Chapitre 6

On était en décembre et il neigeait doucement. Décembre était le mois de la naissance de Tania et elle nota qu'elle aurait trente et un ans bientôt. Elle se rappelait son total désarroi des premiers jours qui avaient suivi son éveil: cette lumière constante, cette aura qui l'enveloppait la rendait méconnaissable, quasi inhumaine. En fait, elle se considérait affligée d'un mal honteux dont elle voulait cacher les effets, un peu comme les lépreux des temps passés.

Puis, petit à petit, elle apprit à non pas accepter, mais à mieux tolérer son sort. Elle avait passé des heures à s'observer dans le miroir, à s'étudier sous tous les angles. Elle s'enveloppait des pieds à la tête dès qu'elle devait voir quelqu'un. Sa vie avait pris une tournure irréelle: après un coma qui restait toujours inexplicable et une manifestation lumineuse jugée totalement mystérieuse dont les effets étaient quasi miraculeux, elle irradiait littéralement la santé, la guérison. Mais non la paix. Celle-ci ne vint que très lentement, lorsqu'elle mesura mieux l'impact des effets de son rayonnement.

Il y avait tout près de six mois que l'accident s'était produit et son univers était maintenant axé sur l'utilisation de ce don mystérieux qu'elle possédait. Sa vie passée, son mari Robert, dont la mort l'avait tant affectée, son travail, tout ça s'était finalement estompé, faisant partie d'une vie antérieure.

Son éveil soudain avait été suivi, pendant plusieurs mois, de tests et d'examens qui ne firent que confirmer le caractère inexplicable de sa situation. On constata par contre une résistance accrue au stress ainsi qu'une capacité de concentration très au-dessus de la normale. On vérifia de nouveau la composition moléculaire de son sang, de sa salive, de ses urines sans détecter de variations significatives. On prit enfin des échantillons de divers tissus afin de les soumettre à des analyses plus poussées dont les résultats ne seraient obtenus que plus tard, incluant un décodage de son ADN.

Tania résidait toujours à l'hôpital militaire pour des raisons à la fois médicales et de sécurité. On lui avait aménagé une chambre avec vue sur un jardin et une petite rivière derrière l'hôpital: quelques fauteuils en cuir brun, une table en bois ronde, quatre chaises appareillées, en bois également, un bureau avec ordinateur portable, un grand lit, des tables de chevet, des lampes, un téléviseur, plus deux tableaux représentant des scènes d'été.

Chacune de ses rares sorties avait provoqué des rassemblements monstres, et les services secrets de la CIA avaient dû allouer des véhicules spéciaux à son service. Il faut reconnaître que son apparence, celle d'un être fabuleux resplendissant de lumière, frappait l'imagination. D'une certaine façon, sa vie ressemblait à celle d'une grande vedette, d'une star. En fait, c'était une vie de recluse, une constatation qu'elle n'arrivait pas encore à totalement accepter. Elle réalisait de plus que son aura et ses pouvoirs attiseraient la convoitise et qu'elle pourrait devenir la proie de groupes ou de causes dont les buts seraient contraires à ses principes ou ses aspirations.

On lui avait proposé une brève entrevue avec maître Éric Bardaux, le procureur chargé du procès de l'assassin de son mari. Pour des raisons inconnues, ce procès avait été retardé plusieurs fois. Maître Bardaux arrivait justement. C'était un homme d'âge mûr, grisonnant, assez grand, mince.

Tania le fit asseoir à la table, sur laquelle une carafe d'eau fraîche était posée. Elle prit place en face de lui.

— Mon Dieu, je ne m'imaginais pas que votre rayonnement était si... intense, madame Fixx. Vraiment, c'est extraordinaire!

Tania avait pris l'habitude de s'habiller très sobrement d'un pantalon sombre et d'un chemisier assorti, à manches longues. Son aura faisait ressortir ses cheveux foncés, son teint pâle, ses mains et ses chevilles délicates, ce qui lui donnait beaucoup de charme.

— Je voudrais vous poser quelques questions sur votre mari, madame Fixx, et j'estime que cela devrait nous prendre au plus une heure. Cela vous convient? dit maître Bardaux qui, machinalement, ouvrait son porte-document pour en extraire un bloc-notes.

Tania avait pendant longtemps imaginé de façon très détaillée le déroulement de l'assassinat de Robert. On lui avait rapporté que le meurtre était l'œuvre d'un illuminé, d'un fou de Dieu, un homme qu'elle aurait aimé anéantir, faire disparaître.

— Maître Bardaux, je ne crois pas que ces questions soient nécessaires, répondit Tania. En fait, j'aimerais rencontrer personnellement la personne qui a tué mon mari. Il serait préférable que la rencontre ait lieu ici pour des motifs que vous comprenez, enchaîna-t-elle. Et j'aimerais que cette rencontre soit organisée dans les jours qui viennent.

— La procédure ne permet pas de telles rencontres, madame Fixx. Cette personne est dangereuse et est présentement sous les verrous. D'ailleurs, depuis déjà trop longtemps. Il est temps que le procès s'amorce.

Tania tenait absolument à un face-à-face avec cet inconnu qui lui avait enlevé Robert. Elle voulait pouvoir le regarder dans les yeux, mesurer sa haine.

— Je sais, maître Bardaux. Mais je désire que vous organisiez cette entrevue. Je suis persuadée qu'il existe une façon d'y arriver.

Et avec autorité, mais non sans donner quelques signes d'impatience et de nervosité, elle poursuivit:

— J'aimerais donc vous revoir ici avec cette personne, disons dans trois ou quatre jours, le temps que vous preniez les dispositions requises, maître Bardaux.

Sur ce, elle se leva, se dirigea vers la porte, l'ouvrit et remercia chaleureusement son visiteur de l'intérêt qu'il allait porter à sa demande.

Éric Bardaux la rappela le lendemain.

— Madame Fixx, à ma grande surprise, le juge a accepté votre demande. Il va sans dire que les événements des derniers mois vous placent dans une situation, disons, extrêmement spéciale.

— Je sais, maître Bardaux. Pouvons-nous donc organiser cette entrevue demain?

— Donnez-moi deux jours, madame Fixx. Nous devons nous assurer que l'hôpital possède une salle à haute sécurité et je dois organiser le transport.

— L'entrevue aura lieu dans ma chambre, maître Bardaux. Et je désire être seule avec l'homme. Je crois que son nom est Amir Sharouf, n'est-ce pas?

Éric Bardaux et Amir Sharouf se présentèrent chez Tania en fin d'après-midi deux jours plus tard. Dès qu'elle vit le prisonnier, un homme dans la vingtaine, Tania, bien que nerveuse, demanda qu'on lui enlève toute entrave. Ce qui fut fait non sans protestations. Amir Sharouf ne montrait aucun signe de désarroi. Au contraire, il scrutait chaque détail de cet être lumineux qui se tenait devant lui. Tania pria maître Bardaux et les policiers qui étaient chargés de la sécurité de se retirer, et, dans un geste irréfléchi, prit le jeune homme par la main et l'emmena au centre de la pièce, en face d'elle. Ce dernier la regardait froidement dans les yeux, d'un air résigné, mais sans honte, sans crainte non plus. Puis, contrairement à toute attente, elle prit ses deux mains dans les siennes et, levant la tête, le regarda dans les yeux. Longuement, sans parler. Sa lumière illuminait Amir. Au bout de quelque temps, Amir releva la tête et ferma les yeux.

— Je ne comprends pas, dit Tania, la douleur se lisant sur son visage. Pourquoi? Est-ce ta foi qui t'a aveuglé? Ce meurtre en valait-il la peine?

Amir ne bougeait pas. Quelques secondes plus tard, il baissa la tête et la regarda. Tout son visage baignait dans la lumière de Tania.

Tania lui lâcha les mains et recula un peu.

— Sais-tu combien de fois je t'ai imaginé tuer mon mari? Sais-tu combien de fois j'ai voulu t'arracher les yeux, te frapper jusqu'à épuisement de mes forces? renchérit Tania.

Aucune réponse.

— N'as-tu donc rien à me dire?

Après un long silence, Amir Sharouf dit finalement:

— Je n'ai pas agi selon ma volonté, madame. Je ne puis malheureusement pas ajouter d'autres commentaires. Je regrette de vous avoir fait souffrir.

Amir était calme et la regardait intensément dans les yeux.

Tania prit soudain conscience que sa rage était tombée, en fait qu'il n'y avait plus de désir de vengeance. Seule demeurait cette immense peine que le temps finirait par apaiser. Ses anciens réflexes d'aide aux détenus lui revenaient à l'esprit et elle crut qu'elle pourrait contribuer à la réhabilitation de cet homme.

Alors elle alla ouvrir la porte, laissant entrer Éric Bardaux et les policiers.

— Maître Bardaux, il ne sert à rien de chercher à détruire cet homme. Cela ne me ramènera pas mon mari.

Éric Bardaux s'assit lentement dans le fauteuil à proximité et leva les yeux au ciel en écartant les bras.

Faisant un effort avant de changer d'idée, Tania continua:

— J'aimerais que les charges qui pèsent contre lui soient annulées pour l'instant, ou du moins reportées. Entre-temps, j'aimerais qu'Amir m'aide dans mes travaux.

Éric Bardaux se leva d'un bond.

— Mais c'est impossible, madame Fixx. Cet homme a tué votre mari et la loi prévoit des sanctions à cet effet. Ce que vous proposez est totalement contraire à nos lois, à la justice...

À court de paroles, Éric Bardaux fit quelques pas dans la pièce.

— C'est possible, maître Bardaux, dit doucement Tania.

Quelques jours plus tard, la direction de l'hôpital fit part à Tania d'une proposition de transfert dans un établissement de recherches avancées en génétique situé près de Washington. Apparemment, on avait détecté quelques anomalies dans son ADN, et des vérifications étaient requises. La proposition venait du Pentagone et était étayée d'arguments touchant sa sécurité personnelle et, surtout, la sécurité de l'État.

Déjà constamment sous surveillance des services secrets de la CIA, Tania refusa. Cela provoqua un débat houleux qui, finalement, fut résolu par un compromis : les tests seraient reportés et, entre-temps, Tania devrait continuer à loger à l'hôpital militaire, éviter les dangers que représentaient les sorties non surveillées et consulter les conseillers de la CIA avant toute activité impliquant l'utilisation de ses pouvoirs.

Rapidement, le compromis lui apparut problématique, car elle se voyait de plus en plus dans un rôle de « guérisseuse publique », où son temps serait consacré à faire bénéficier le plus de gens possible des pouvoirs de son aura. C'était le contrepoids de la réclusion que sa condition lui imposait. Elle troquerait en quelque sorte, non sans déchirements, ses espoirs de vie familiale normale, entourée d'un mari et d'enfants, contre une vie privée de recluse agrémentée d'actes publics visant à satisfaire son profond désir d'aide aux défavorisés.

Elle décida d'en parler et convoqua une rencontre avec la direction de l'hôpital. On prépara une salle et, au jour dit, à 15 h, Tania s'y rendit. Elle portait un tailleur gris qui atténuait son aura et lui donnait un air plus sévère.

Sa présentation dura environ trente minutes et se termina ainsi :

— Voilà donc l'essentiel de ma réflexion. Le tout tient en deux points. Je réclame d'abord, je le rappelle, un aménagement adéquat à l'intérieur de l'hôpital, idéalement un petit appartement qui pourrait être créé en joignant quelques chambres. Compte tenu du travail de recherche que l'on fait sur mon état et de la surveillance dont je suis l'objet, je crois bien que les avantages reliés à cette demande compensent amplement les déboursés requis. Ensuite, de concert avec les organisations caritatives, les regroupements de malades ou toute autre société qui se conformera à mes critères, je souhaite organiser des événements publics où les capacités de guérison que je possède pourront être mises à la disposition du plus grand nombre de malades possible. Je réalise pleinement l'impact potentiel de cette décision. J'en vois aussi très bien les dangers. Mais il m'apparaît injuste de ne pas mettre à la disposition de tous, les dons, si je puis m'exprimer ainsi, que la nature m'a donnés.

Je comprends aussi que cette démarche entraînera des déplacements à l'étranger et des mesures de sécurité appropriées. C'est tout. Du moins à l'étape actuelle.

∽

Amir Sharouf fut libéré. On concocta une explication boiteuse d'accident malencontreux, allant même jusqu'à affirmer que l'arme qui avait été utilisée appartenait à Robert Fixx. On rapporta aussi que Tania Fixx avait rencontré l'assassin et qu'ils avaient eu un long entretien à la suite duquel toutes les charges contre lui avaient été levées. On considéra étrange, d'ailleurs, que madame Fixx ait suggéré de prendre Amir Sharouf à son service.

Le Mentor rencontra Amir Sharouf au moment de sa libération.

— Nous avons été chanceux, monsieur Sharouf. Ce qui s'annonçait comme une longue suite de délais et de contretemps afin de vous extirper de ce dossier et de vous remettre en service n'a pas été nécessaire. L'offre de madame Fixx est inespérée et nous place dans une position des plus avantageuses. Vous entrerez donc à son service. À titre d'assistant, comme elle l'a mentionné. Vous serez alors en mesure de la suivre partout et de nous tenir informés de ses activités.

Bien que satisfait de ce dénouement, Amir resta de glace.

Chapitre 7

Tania se jeta dans une activité fébrile et mit rapidement à exécution son plan d'action. Selon elle, cela compensait son manque de contact avec les autres et l'empêchait de s'apitoyer sur son sort.

Dans la foulée de son initiative, l'Aide aux patients atteints de cancer, une organisation nord-américaine, avait collecté des fonds, réservé un aréna près de Boston et invité gratuitement dix mille malades atteints de cancer à s'y présenter pour la rencontrer.

Les malades vinrent de partout, certains d'outre-mer. On avait aussi recruté des groupes musicaux afin d'animer, à titre bénévole, cet événement. Tania ne devait pas faire de discours. Elle avait plutôt imaginé circuler dans les gradins, escortée de son assistant Amir Sharouf, de gardes du corps et d'agents de la CIA, pour pouvoir serrer ou au moins toucher des mains et baigner tous et chacun dans sa lumière. La performance, comme elle l'appelait, devait débuter à 20 h. Deux heures de marche étaient prévues, ce qui devait permettre à chaque personne d'être brièvement en contact avec elle ou au moins d'être irradiée par sa lumière.

C'était la première manifestation publique à laquelle elle se prêtait. La décision de s'offrir en spectacle afin d'aider les malades n'avait pas été facile, elle songeait qu'elle se comporterait davantage comme un animal de cirque que comme une thaumaturge. De plus, l'obtention de l'autorisation des conseillers de la CIA n'avait pas été sans problèmes.

Elle portait un pantalon noir, et une chemise blanche sans manches mettait en évidence son aura. Malgré son calme et l'assurance que des mesures de sécurité extraordinaires avaient été prises, elle ne pouvait s'empêcher d'anticiper des scènes de désordre et de pertes de contrôle. Résultats, sans doute, de ses démêlés avec ses conseillers de la CIA!

L'aréna vibrait sous les applaudissements, les sifflements et les cris de la foule qui saluait les musiciens et les chanteurs sur la scène. Les pièces musicales bien connues étaient reprises en chœur par le public.

Un groupe de blues terminait maintenant son numéro et c'était le moment de présenter Tania sur la scène.

— Mesdames et messieurs, voici le moment que vous attendez tous avec impatience, proclama le maître de cérémonie.

Un tonnerre de cris et de sifflements jaillit des gradins.

— Je vous rappelle la procédure que nous allons suivre: madame Fixx ne fera pas de discours. Elle a plutôt décidé de donner à chacun de vous la possibilité d'être près d'elle. Vous pourrez lui serrer la main. Surtout, surtout, sa lumière va vous toucher.

Encore un tonnerre de cris, de sifflements, d'applaudissements.

— Vous bénéficierez tous de sa lumière. Je vous rappelle que madame Fixx va circuler dans les gradins. Il n'est pas nécessaire de vous déplacer, ni de vous lever de vos sièges. Madame Fixx prendra le temps de marcher dans chacune des allées. Mesdames et messieurs... Tania Fixx!

Une musique entraînante s'éleva et Tania s'avança sur l'estrade. On diminua l'éclairage, ce qui mit en évidence son aura. Les flashs des appareils photo crépitaient et le vacarme des cris et sifflements était assourdissant. Tania descendit de l'estrade et, suivie d'Amir Sharouf et des gardes du corps, se dirigea d'abord vers les rangées lui faisant face, où étaient placées les personnes en fauteuil roulant. Pendant qu'un nouveau groupe musical faisait entendre une très douce mélodie sur l'estrade, Tania entreprit de marcher entre les rangées de fauteuils roulants, effleurant les mains tendues au passage. Elle déambulait lentement, donnant à chacun le temps de bénéficier de la lumière de son aura, souriante, calme. Ou du moins apparemment calme: elle avait encore de la difficulté à se départir de cette idée d'animal de cirque qui l'empêchait de pleinement réaliser ce qu'elle offrait vraiment à tous ces gens.

La foule s'était assagie et tout se déroulait dans le plus grand ordre. Lorsque Tania accéda aux premiers gradins, la foule se fit plus démonstrative. Plusieurs personnes se mirent à scander son nom, enterrant les musiciens de l'estrade. Puis, à mesure qu'elle progressait, la foule se fit plus sereine. Ceux qui avaient déjà bénéficié de son aura, heureux, s'intéressaient ensuite aux performances musicales.

Tania mit cent vingt-cinq minutes à parcourir les gradins. Elle avait donc irradié ou effleuré quatre personnes toutes les trois secondes environ.

Le succès obtenu la rassura et lui fit prendre conscience davantage de l'impact de ce type de manifestation: des milliers de malades pouvaient quasi instantanément profiter de son rayonnement et guérir, ou du moins améliorer leur condition.

Une deuxième manifestation publique fut organisée un mois plus tard, cette fois-ci par un groupe européen. On avait décidé d'utiliser la même approche qu'à Boston et réservé un stade près de Bruxelles pour l'occasion. Encore une fois ce fut un succès, bien que le voyage par avion privé, aux frais du groupe européen, eût créé quelques émois aux aéroports concernés. Évidemment, le Pentagone avait déployé des efforts spéciaux pour observer et analyser chaque détail de cette manifestation. À la demande du Mentor, Amir Sharouf dut même se présenter en personne à Washington pour un compte-rendu détaillé et commenté de l'événement. Sans s'en rendre compte, il s'attachait à Tania et respectait ce qu'elle essayait d'accomplir.

Tania retira une grande satisfaction de ces deux rassemblements et en ressortit plus sûre d'elle-même et de sa mission. Elle avait l'impression d'être vraiment utile. Et elle commença à recevoir des dons immédiatement après la manifestation de Boston. Des chèques d'entreprises de toutes natures et d'individus anonymes lui parvenaient quotidiennement de partout. Un fonds substantiel s'accumulait rapidement, que Tania n'avait pour le moment pas besoin d'utiliser.

L'hôpital avait réaménagé sa chambre. On avait abattu les cloisons des deux pièces qui la jouxtaient, ce qui avait permis d'installer une petite cuisine/salle à manger attenant à un salon qui servait au besoin de bureau. Tania avait choisi un ameublement très sobre, où le cuir brun et le bois tranchaient agréablement sur les tons jaune pâle des murs. Elle y emménagea officiellement à son retour de Bruxelles.

Peu de temps après, Tania reçut la visite de l'évêque Paul Cross.

Le cardinal Purcell n'était pas resté inactif. L'assassinat de Robert Fixx avait défait le patient château de cartes qu'il tentait d'édifier et une nouvelle approche était nécessaire. Rome, inquiet, lui demandait de surveiller et d'analyser toute manifestation concernant le phénomène Tania Fixx, particulièrement les réactions des foules, les reportages, bref tout ce qui pourrait signaler une montée en popularité jugée dangereuse. Le Vatican avait commandé une étude sur le rayonnement de Tania, non pour en comprendre les causes, mais plutôt pour chercher des précédents au cours des âges s'il y en avait.

En fait, on savait qu'il y en avait.

Paul Cross se présenta à l'appartement de l'hôpital accompagné d'un certain Pietro Gordini, fraîchement arrivé du Vatican. Ce dernier faisait partie d'une division obscure du Conseil Pontifical Justice et Paix, un organisme officiellement voué à enquêter sur la justice et la paix dans le monde, sous l'autorité de la Curie Romaine, le bras administratif du Saint-Siège. Cette visite surprit beaucoup Tania qui, bien qu'elle ait appris l'attention que lui portait l'évêque Cross par l'entremise de Grace Cameron, ne s'attendait pas à ce qu'il lui rende visite, surtout en compagnie d'un envoyé du Vatican. Elle mesurait mal les raisons pour lesquelles ces gens s'intéressaient à elle, ressentant même une certaine crainte à leur égard, sans fondement se disait-elle.

— Madame Fixx, monsieur Gordini aimerait discuter de l'impact de votre mission auprès de la population, particulièrement de l'espoir que vous représentez pour les personnes atteintes de maladies, dit l'évêque Cross, confortablement installé au salon. Je lui laisse d'ailleurs la parole.

Pietro Gordini était un bel homme dans la trentaine, grand et mince, portant complet noir et col romain. Après quelques mots de courtoisie et des commentaires élogieux sur la lumière qui émanait de Tania et son effet sur son apparence, il en vint à la raison de sa visite.

— Madame Fixx, nous nous intéressons beaucoup à votre œuvre. Vous n'êtes pas sans savoir que l'Église s'est toujours gardée de démontrer quelque intérêt que ce soit pour les manifestations appelées miracles ou apparitions de toutes sortes. Peu de cas sont véridiques et encore moins sont vérifiables. Dans votre cas par contre, le Vatican reconnaît la nature mystérieuse, mais réelle, de vos pouvoirs, lesquels ont été amplement observés sur le plan médical.

Il se pencha pour sortir un document de sa mallette.

— Voici d'ailleurs les vérifications que nous avons faites à ce sujet.

Tania soupçonnait une demande d'aide de la part du Vatican.

— Vous savez sûrement que ma démarche n'est pas d'ordre religieux, l'interrompit Tania.

— Effectivement, madame, et notre intention n'est pas de vous rallier à quelque cause que ce soit. Par contre, les ressources du Vatican sont considérables. Nous aimerions simplement mettre certaines de nos ressources à votre disposition.

Tania absorba cette information sans réaction apparente. Plusieurs embûches reliées à l'acceptation d'une telle proposition lui sautaient aux yeux. Tout en réfléchissant, elle prit un verre placé sur la petite table près d'elle, y versa un peu d'eau et en but une gorgée.

— Que demandez-vous en retour? répliqua-t-elle.

Pietro Gordini replaça les documents qu'il avait en main dans sa mallette. Imperturbable, il répondit:

— Rien, madame. L'Église a toujours cherché à secourir ses fidèles, et vous nous donneriez l'occasion d'agir dans des domaines inaccessibles avant vous.

— Vous voulez dire la guérison? Pourtant, l'histoire de l'Église est remplie de miracles, fit observer Tania.

— C'est vrai, madame, et nous ne renions pas cette histoire, dit Pietro Gordini avec un sourire narquois.

La conversation se poursuivit sur un ton plus léger, Pietro Gordini s'intéressant particulièrement à la vie de Tania avant son accident. Elle le remercia finalement de sa visite et lui promit de réfléchir à sa proposition. Déjà, cependant, elle rejetait presque l'offre, même si celle-ci n'avait pas été précisée réellement. Elle craignait toute association avec

Chapitre 8

Mossul désapprouvait les initiatives de Tania Fixx. Dieu et ses œuvres méritaient mieux qu'une partie de ballon ou qu'une session de musique occidentale. Mais il n'exprimait jamais ce désaccord en public. Au contraire, il commentait positivement les retombées des rassemblements de Tania Fixx, adoptant le même comportement que le prince, sans savoir cependant si ce dernier approuvait réellement le comportement de madame Fixx.

Cela lui valait parfois de chaudes discussions avec certains de ses aides et assistants, dont le nombre avait augmenté depuis l'arrivée à Oued Ellil.

— Maître, pourquoi ne pas exposer l'agneau au plus grand nombre ? Pourquoi ne pas aller sur la place publique ?

— Dieu m'a confié sa lumière près d'un village et non dans un stade ou une place publique, répondait-il.

Cette intransigeance, que certains alliaient aux pressions exercées par le prince, divisait les aides en deux camps. L'un des camps, composé de modérés, prônait l'exposition de l'agneau et la diffusion de « la bonne nouvelle » telle qu'elle se faisait, soit à travers les œuvres du prince. L'autre camp, dont les membres étaient plus nombreux, ralliait plutôt les jeunes. Continuellement alimenté par des infiltrations de l'extérieur, ce camp prônait en fait un abandon de certains aspects de l'ordre établi et son remplacement par les enseignements de l'Agneau lumineux de Dieu. Cette faction avait pour chef Yossef Al-Idrissi.

Yossef avait d'abord étudié la médecine à l'université Al-Karaouine de Fès, puis avait abandonné cette discipline pour se consacrer à l'étude de la jurisprudence islamique. C'était un grand gaillard élancé aux cheveux bruns crépus, nez aquilin, yeux noirs très perçants. Il portait des lunettes rondes qui lui donnaient un air d'intellectuel, de jeune professeur. Outre l'arabe, il parlait parfaitement le français et correctement l'anglais. On l'appelait souvent Mawlawi Yossef par respect pour sa piété et son savoir. Son influence s'étendait déjà très au-delà du cercle intime d'aides qui gravitaient autour de Mossul, duquel il était d'ailleurs très près, ses connaissances en médecine l'ayant rapidement qualifié pour veiller au bien-être de l'agneau.

Yossef haranguait souvent ses acolytes, et ce soir-là, assis à l'extérieur dans des gradins installés sur le terrain de soccer près des résidences, plus de trente personnes l'écoutaient attentivement. Il sentait confusément le besoin de prendre en charge le mouvement qu'il voyait naître devant lui et qu'il assimilait à une opportunité de transformation sans être encore capable d'en reconnaître tous les éléments.

— Nous avons tous besoin de justice et d'égalité. L'Agneau lumineux de Dieu nous a été donné par un berger. Pas par un prince, même si je respecte la famille d'Abdallah, Allah m'en soit témoin.

Yossef, marquant un temps d'arrêt, observait ses auditeurs.

— Le temps est peut-être venu d'agir.

Nouvelle pause. Personne ne réagissait.

— Il faut nous libérer de l'emprise du prince, lança soudainement Yossef en se levant debout et en pointant du doigt dans la direction du palais d'Abdallah. Il faut prendre notre destinée entre nos mains et permettre à l'Agneau lumineux de Dieu de répandre sa lumière !

— Comment, Yossef ? lança une voix de l'assistance. Comment pouvons-nous renier Mossul, comment pouvons-nous renier nos frères ?

— Ce n'est pas renier Mossul que de s'assurer que sa mission s'accomplisse. Ce n'est pas renier nos frères que de se remettre dans le vrai chemin, reprit doucement Yossef en se rassoyant.

Le petit groupe semblait confus et plusieurs discutaient entre eux. Yossef se mêla à eux et dans l'heure qui suivit, les échanges devinrent plus sporadiques. Finalement, tous retournèrent dans leurs abris ou demeures pour la nuit. Tous sauf deux: Omar Ahjedin et Ali Khartami, deux étudiants plus radicaux qui demandèrent à s'entretenir avec Yossef.

Ali affirma d'emblée qu'il comprenait parfaitement ce qu'avait essayé d'expliquer Yossef et que ce dernier pouvait compter sur lui et Omar. Yossef les regardait sans parler.

— S'il faut nous emparer de l'agneau et fuir d'ici, Mawlawi, nous sommes avec toi, dit Omar.

Un silence de plusieurs secondes s'ensuivit. S'il profitait de cette occasion et prenait les choses en main, combien le suivraient, se demandait Yossef. Comment réagirait le prince et sa puissante famille devant un tel coup de force?

— Merci, mes amis, dit simplement Yossef. Allons dormir et demander conseil à Allah.

Mais sa réflexion faisait son chemin. Chaque jour, Yossef, Ali et Omar ralliaient des sympathisants à leur position, semaient l'idée d'une meilleure utilisation des dons de l'agneau.

Puis une idée fulgurante surprit Yossef tant elle était simple: si la chair lumineuse de l'agneau pouvait guérir, manger cette chair équivaudrait-il à acquérir les pouvoirs de la lumière? Là était peut-être la vraie réponse! Plus il y réfléchissait, plus il se convainquait que non seulement il avait peut-être trouvé comment propager «la bonne nouvelle», s'assurer qu'elle rejoigne tous les croyants et renouveler leur foi en un islam plus à même d'évoluer dans ce monde si changeant, mais aussi que c'était lui, Yossef, qui devrait se charger de la conduite des destinées de ce nouvel islam!

Cependant, il réalisait que l'idée était totalement farfelue. Comment manger l'agneau sans le tuer?

Et le déclic se fit. Un plan tellement évident qu'il en resta émerveillé pendant un bon moment.

Il ne parla pas immédiatement de son plan à Ali et Omar. Peu à peu cependant, son projet prenait forme. Il étudia très minutieusement ce qui se passait autour de lui quand il était avec l'agneau, ce que faisait Mossul durant ces moments. Il chronométra soigneusement les tours de garde de ceux qui étaient chargés de la sécurité de Mossul et de l'agneau et observa comment le programme de sécurité était exécuté. Il notait tout. Il vérifiait tout.

Au fil du temps, l'Agneau lumineux de Dieu était devenu un mouvement important. Des centaines de personnes bénéficiaient, chaque mois, de la lumière de l'agneau, et la renommée des guérisons était telle que des pèlerinages s'organisaient, souvent menés par des gens influents. Le prince et sa famille en retiraient un immense avantage politique, tant sur le plan local qu'international. Chaque entrevue, chaque rencontre avec des personnages influents mettait le prince en évidence. Mossul était le messager, le gardien de l'agneau. Le prince Abdallah était le sage, l'ambassadeur par qui l'Agneau lumineux de Dieu rejoignait l'extérieur.

Yossef cherchait à se rapprocher du prince sans y réussir. Par contre, son influence auprès des aides et des gens qui l'entouraient était devenue prépondérante. Il était leur chef et ces personnes étaient en quelque sorte devenues ses adeptes, une troupe de quelques centaines d'individus qu'il avait patiemment ralliés à sa cause. « Sa » cause.

Yossef côtoyait Mossul presque chaque jour. C'était souvent lui qui recueillait les dons des visiteurs venus s'agenouiller dans la lumière de l'agneau. C'était aussi lui qui, parfois, s'occupait des besoins de l'agneau, qui lui apportait à boire, à manger, qui le promenait, même si ces sorties se faisaient toujours sous escorte.

Le temps était venu d'agir.

Ce jour-là, Mossul était fatigué et l'agneau était nerveux. La journée avait été plus chargée que de coutume, plusieurs visiteurs d'aussi loin que le Pakistan, dont certains très malades, ayant insisté pour voir l'agneau. Yossef, qui recueillait les offrandes, remit les paniers à leur place, aida Mossul à se lever de son fauteuil et passa la laisse de promenade autour du cou de l'agneau.

— Reposez-vous, maître, vous êtes exténué. Je vais faire boire l'agneau et le nourrir.

Mossul quitta le salon des visites et, aidé du garde de faction, se dirigea vers ses appartements. Yossef, seul, conduisit l'agneau dans son enclos, un cabanon non loin de la maison utilisée pour les visites des malades. Il faisait sombre, mais l'agneau éclairait l'enclos. Yossef referma la porte, versa de l'eau et la porta près de l'agneau. Aucun autre garde n'était de faction avant la nuit, soit dans plus de deux heures. Le trajet vers la villa où habitait Yossef ne prenait que quelques minutes sur sa moto. Pendant que l'agneau buvait, il prit le sac qu'il avait dissimulé plusieurs jours auparavant dans une petite armoire au fond de l'enclos. Il en sortit une seringue et quatre petits tubes pour prises de sang. S'approchant de l'agneau, il l'immobilisa, puis planta la seringue dans une veine près du cou tout en lui parlant et le caressant. En quelques minutes, il remplit ses quatre tubes. Il remarqua que le sang de l'agneau, d'un beau rouge foncé, luisait doucement. L'opération avait duré moins de quinze minutes.

Le retour vers la villa et son appartement se fit sans encombre. Yossef gara sa moto, entra et alla immédiatement à la cuisine, où il versa l'une des éprouvettes dans un verre. L'élevant devant ses yeux, il en contempla longuement la luminosité.

Il s'agenouilla, remercia Allah et but le sang.

Après quelques minutes, il se releva et rangea les trois autres éprouvettes au réfrigérateur. Puis il s'étendit sur le lit, à l'affût du moindre petit symptôme qui lui signalerait un effet du sang en lui.

Le lendemain, il demanda à Ali et Omar de le rejoindre chez lui après la session d'exposition de l'agneau de la mi-journée, laquelle se terminait vers 17 h. Il faisait chaud et le soleil était encore brûlant en cette fin d'après-midi. Il revêtit un vêtement propre et prépara du thé pour ses amis.

Ali et Omar arrivèrent une demi-heure plus tard. Les trois hommes prirent un peu de thé, assis autour de la table de cuisine. Puis Yossef, excité, dit:

— Mes amis, vous êtes mes plus fidèles compagnons. Je voudrais qu'ensemble nous contractions une alliance en la scellant de la bénédiction de Dieu.

— Que veux-tu dire, Mawlawi? Quelle alliance? Ne sommes-nous pas déjà liés par notre cause? dit Ali.

— En effet, Ali, répondit Yossef. Notre cause est... une cause justement, qui ne se réalise pas. Il replaça un pan de son vêtement. Je crois que le moment est venu.

Ali et Omar le regardaient sans dire un mot, en buvant leur thé.

— Je voudrais que vous buviez avec moi la lumière de Dieu, poursuivit Yossef, et que cette communion devienne la prière qui nous rassemble et marque l'appartenance à notre cause.

Il se leva, alla au réfrigérateur et prit une des éprouvettes remplie du sang de l'agneau. Le sang luisait encore faiblement. Il versa un peu d'eau dans trois verres, puis un peu de sang dans chacun. Le liquide rosé luisait doucement. Il posa un verre devant chacun d'eux et se rassit.

Ali et Omar ne comprenaient pas ce qui se passait.

— Yossef ? dit seulement Omar, d'une voix hésitante.

Levant l'éprouvette vide, Yossef dit alors :

— Ceci est le sang de l'agneau. Il brille encore de sa lumière.

Ali et Omar se regardèrent, puis posèrent leurs tasses sur la table.

— C'est impossible, dit Ali.

Puis, voyant le sourire de Yossef :

— Non, non. Qu'as-tu fait, Mawlawi Yossef ? Qu'as-tu fait, malheureux ?

— Ne craignez rien, l'agneau est en vie, dit Yossef. Je n'ai prélevé qu'un peu de son sang. Et je veux que ce sang devienne le lien qui nous unisse. Prenez vos verres. Allez, ayez confiance en moi. Prenez vos verres et buvez la lumière de Dieu.

Comme personne ne bougeait, il mit les verres dans leurs mains.

— Faites comme moi, faisons ensemble cet acte de communion.

Il leva son verre et attendit qu'ils lui obéissent. Lentement, Ali d'abord, puis Omar levèrent leur verre, et ils burent le mélange luminescent d'eau et de sang.

Personne ne parla pendant un long moment.

— Comment as-tu fait, Yossef ? demanda Omar.

Yossef leur raconta comment il s'y était pris pour remplir les éprouvettes. Puis Omar lui demanda nerveusement :

— Y a-t-il des effets, Yossef ? Le sang produira-t-il des effets sur nous ?

Yossef les regarda tour à tour et leur répondit :

— J'ai bu du sang pur hier, et jusqu'à présent il ne s'est rien produit. Il ne se produira donc rien. Le sang de l'agneau ne transmet aucun de ses pouvoirs.

— Pourquoi alors boire le sang de l'agneau? demanda Omar.

Yossef entrevoyait la puissance, l'impact que tout le symbolisme du cérémonial de la communion au sang de l'agneau pouvait représenter pour la cause. Il ne répondait pas, absorbé par ses pensées.

— Pourquoi, Mawlawi? Pourquoi prendre de si grands risques si le sang reste sans effets? demanda encore Omar.

— Et si on remplaçait le sang de l'agneau par du vin? suggéra alors Yossef, avec un large sourire.

Ce n'était pas une solution banale: tout alcool est interdit par le Coran, et cette transgression afin d'exprimer une adhésion au mouvement serait révolutionnaire.

DEUXIÈME PARTIE

La chose la plus incompréhensible, c'est que le monde soit compréhensible.

– EINSTEIN

11. *Nous sommes tous des messagers d'Allah et des témoins d'Allah.*
12. *Le chemin d'Allah est ouvert à tous les hommes quels que soient leur race, leur sexe ou leur religion.*

LE PETIT LIVRE, ÉNONCÉS 11 ET 12

Chapitre 9

Tania Fixx terminait une tournée nord-américaine de manifestations. Encouragée par ses premiers succès et constatant l'envergure que de tels événements avaient pris dans sa vie, elle acceptait beaucoup mieux son rôle de « guérisseuse publique ». C'était même devenu sa seule raison de vivre.

Cette fois-ci, elle s'était « donnée à ses malades », comme elle aimait le dire, dans plus de douze villes. La plupart du temps, les rassemblements se déroulaient dans des amphithéâtres sportifs, qui offraient de meilleurs contrôles de sécurité. À Mexico cependant, on avait expérimenté une manifestation à ciel ouvert dans le parc principal de la ville, le parc Chapultepec. Et il y avait eu du grabuge: la foule, surexcitée, avait réussi à repousser les agents de sécurité et s'était ruée sur elle. On avait finalement pu l'extirper de cette masse humaine et la transporter vers l'hélicoptère qu'elle avait nolisé pour ses déplacements. Amir Sharouf avait été légèrement blessé durant cet incident.

Entourée d'Amir et des quelques personnes qui dirigeaient le Trust Tania Fixx, une organisation qu'elle avait créée pour gérer les dons qu'elle recevait constamment, Tania débattait des prochaines étapes de ce qu'elle appelait « sa mission ». Louise Kennedy était la présidente du TTF, comme tous appelaient entre eux le Trust Tania Fixx. Tania avait connu cette femme blonde dans la jeune trentaine lors de l'organisation de ses premières manifestations publiques. Elle était alors en charge d'un mouvement caritatif et Tania l'avait convaincue de se joindre au Trust.

Le TTF se réunissait habituellement dans une salle prêtée par l'hôpital située à l'étage de l'appartement de Tania. Assise à la tête d'une table qui pouvait accommoder huit personnes et flanquée d'un chevalet avec papier et crayons feutres, Louise terminait la lecture du dernier compte-rendu financier de la fondation.

— ... ce qui laisse un avoir de 2 400 530 dollars. Nos prévisions pour le trimestre qui vient montrent des débours de 348 000 dollars et des entrées de fonds, si nos donateurs maintiennent le cap, de plus de 560 000 dollars.

Elle reposa son document sur la table.

— Donc, tout va pour le mieux, affirma Tania.

— Si ce n'est que votre dernière imprudence a failli vous jouer un sale tour, intervint Amir.

Tania le regarda d'un œil critique, comme si elle n'approuvait pas cette remarque inutile. Elle détourna son regard et entreprit de mettre de l'ordre dans les documents placés devant elle.

— Il faudrait réellement envisager une nouvelle façon de mettre vos dons au service des malades, dit Louise. Vous avez eu de la chance à Mexico. Vous devriez considérer cette aventure comme un avertissement.

Bernard Dunn, un jeune retraité aux cheveux déjà blancs qui avait fait carrière dans le monde de la publicité et qui s'occupait des relations extérieures du TTF, prit alors la parole.

— Tania, nous considérons tous ici qu'il serait préférable que vos interventions ne soient plus de nature aussi publique. Ce que je veux dire, c'est que nous avons discuté ensemble d'une autre approche.

Tania avait recruté Bernard après l'avoir rencontré à une de ses manifestations. Il avait spontanément offert ses services, mentionnant qu'il venait tout juste de prendre une retraite hâtive dans le but de réorienter sa vie. Attirée par lui, elle avait accepté de le prendre à son service après quelques entrevues.

— Laquelle? dit Tania.

— Nous pensons que vous pourriez vous consacrer uniquement aux cas très graves, aux personnes réellement en phase très avancée de leur maladie. Vous pourriez leur rendre visite aux endroits où ils sont hospitalisés, ou encore chez eux si cela s'avérait nécessaire. Et bien entendu, il serait beaucoup plus facile de préparer ces visites et d'appliquer un protocole de sécurité approprié. Sans compter que vos visites pourraient demeurer confidentielles jusqu'au dernier moment si vous le jugez à propos.

Tania restait pensive et semblait agacée par la proposition.

Louise Kennedy reprit la parole.

— Nous avons aussi pensé que vos interventions pourraient s'intégrer à un cérémonial. De toute façon, il sera toujours impossible de cacher votre présence, en fait le moindre de vos déplacements. Votre état vous en empêche. Votre notoriété aussi.

Tania comprit que Louise faisait allusion à son aura, à la lumière qui se dégageait d'elle et qui ne pouvait être voilée. Elle réfléchissait.

Amir renchérit:

— Tania, vous savez bien que nous avons raison.

Amir Sharouf ne faisait que transmettre les recommandations du Mentor, lequel, à partir des rapports d'Amir et des renseignements des agents qui surveillaient Tania, essayait de mesurer l'impact de chacun des faits et gestes publics de Tania Fixx.

Tania acceptait mal de devoir, encore une fois, modifier ses activités à cause de son état. Mais elle n'y pouvait rien et soupçonnait que la CIA la forcerait de toute façon à adopter des procédures différentes sans en avoir discuté au préalable avec elle.

— Je sais, Amir.

Puis, regardant Bernard Dunn:

— Quel scénario proposez-vous, Bernard? Car je crois que c'est vous qui êtes derrière cette démarche, n'est-ce pas?

— Au début, oui, Tania. Mais maintenant, nous sommes tous d'accord. Il repoussa sa chaise de la table et allongea les jambes. Nous avons pensé à un déroulement en quelques étapes. D'abord, un comité de sélection choisirait les malades. Il va sans dire que nous informerions les spécialistes, médecins et autres intervenants médicaux de notre programme par voie écrite, de façon confidentielle.

— Ce qui, nous le savons bien, ne restera pas confidentiel et fera la manchette aussitôt, enchaîna Louise Kennedy.

— Et ce serait fait à l'échelle internationale? demanda Tania.

— Oui, Tania, répondit Bernard Dunn. Les associations médicales sont prêtes à nous appuyer. Ensuite, une fois les malades choisis, nous pourrions élaborer un itinéraire de visite, lequel serait tenu confidentiel aussi longtemps que possible. Les malades et leurs soignants ne seraient prévenus de votre visite que quelques jours à l'avance. Disons au maximum trois jours.

Bernard Dunn marqua un temps d'arrêt.

Tania regarda alors Louise Kennedy:

— Vous avez mentionné un cérémonial, Louise.

— Nous n'avons pas beaucoup creusé la question, Tania, répondit-elle. Au plus, quelques suggestions: un vêtement de nature à frapper l'imagination, ou encore une escorte spéciale, un cortège...

Elle fit une pause, puis reprit:

— Le but visé serait de faire de votre visite un événement hors de l'ordinaire, en fait carrément extraordinaire: votre intervention va guérir un mourant! Tout le monde associera alors votre déplacement à cette faveur extrême: redonner la vie à un mourant!

Tania hocha la tête. Après une courte réflexion, sachant qu'elle n'avait pas réellement d'objections, elle répondit:

— Je crois que vous avez raison. Voyons donc comment nous pourrions mettre en application un tel programme.

On baptisa finalement ce projet SOS-TTF à l'interne. Sa mise au point définitive prit un mois.

Amir Sharouf se rendit à Washington et dut défendre le projet auprès du Mentor. Le Pentagone voyait d'un mauvais œil une initiative qui pourrait produire un engouement propre à créer un mouvement aux allures de secte révolutionnaire et considéra brièvement la possibilité de discréditer le TTF ou carrément de le rendre illégal en fabriquant un scandale de toutes pièces. D'un autre côté, comme le projet serait initialement mis en œuvre à une échelle réduite, on décida finalement de l'encadrer et d'observer son impact.

Il fallut deux autres mois pour en arriver à une première sélection de grands malades, soit plus de cent personnes, choisies d'abord en Europe, les dernières manifestations de Tania s'étant concentrées sur l'Amérique seulement.

Tania n'avait pas chômé durant cette période. Elle avait accordé de nombreuses entrevues à des gens venus la rencontrer à son appartement de l'hôpital militaire. En particulier, une délégation d'experts en génétique l'avait monopolisée pendant deux journées complètes. Ils avaient préparé d'interminables questionnaires sur ses antécédents familiaux, ils lui avaient indiqué qu'ils dressaient son arbre généalogique tant du côté paternel que maternel afin de déceler des traces possibles de manifestations hors du commun qui auraient pu être observées chez ses ancêtres. Apparemment, son code génétique, son ADN, présentait une variation, une mutation en fait, qui était inexplicable et qui pouvait être la source de son rayonnement. Mais il était toujours impossible d'expliquer la nature des pouvoirs que ce rayonnement lui conférait.

De toute façon, tout cela était maintenant réglé, du moins pour l'instant. Et quelle que soit l'explication qu'on trouverait éventuellement, cela ne changerait pas son état. On lui avait d'ailleurs mentionné qu'une mutation génétique était à toutes fins utiles irréversible et que si c'était là l'explication de sa luminosité, elle ne disparaîtrait pas.

Tania accepta cette information sans réelle réaction. Elle avait fait son deuil de sa vie antérieure et se consacrait dorénavant à « sa mission ».

~

Tania et les membres de son personnel logeaient à l'hôtel Excelsior, à Rome, le lieu des premières visites. Elle devait rencontrer vingt grands malades en cinq jours et les premières rencontres débutaient aujourd'hui.

Amir Sharouf frappa à la porte de Tania et, sans l'ouvrir, lui annonça que l'escorte était prête et l'attendait dans la salle de réunion réservée à cet effet.

Tania attendait ce signal depuis quelques minutes. Elle sortit de sa chambre vêtue d'une ample robe blanche à manches longues qui lui tombait jusqu'aux pieds. Un immense capuchon couvrait sa tête. Elle portait aussi des gants blancs et des souliers blancs. Son rayonnement était complètement dissimulé par la robe, les gants et les souliers. Seul son visage, qu'on entrevoyait à peine, brillait d'une lueur qui éclairait le pourtour du capuchon. L'effet était surprenant.

Accompagnée d'Amir, elle se rendit à la salle où l'attendait son escorte. Il y avait six adolescents de quinze à seize ans, trois filles et trois garçons, tous vêtus de rouge: pantalon, chemise et souliers rouges pour les garçons, robe et souliers rouges pour les filles. L'un des garçons était de race noire, un autre de race blanche et le dernier était asiatique. C'était la même chose pour les filles. Une dernière personne faisait partie de l'escorte: un homme aux cheveux blancs vêtu d'un costume noir, avec un coffre en bois noir dans les mains.

Tania prit place au milieu de l'escorte, les trois garçons à sa gauche et les trois filles à sa droite. L'homme en noir était devant. Amir, assisté de plusieurs gardes de sécurité, ouvrait le chemin. Le cortège sortit de la salle de réunion et descendit le grand escalier central. Il fut accueilli par une foule de curieux qui, en les voyant, restèrent bouche bée. Puis le cortège sortit de l'hôtel et monta à bord d'un minibus rouge, précédé et suivi de voitures blanches dans lesquelles montèrent Amir et ses collègues. Le départ eut lieu aussitôt et plusieurs policiers à moto entourèrent les trois véhicules.

Le trajet jusqu'au complexe hospitalier San Giovanni Addolorata ne prit que quelques minutes. Les trois voitures se garèrent. Amir et ses gardes de sécurité se dirigèrent vers le minibus et, l'entourant, permirent à Tania et son escorte de sortir et de se placer en ordre de marche. La foule, contenue par les policiers, criait des bravos et applaudissait. L'escorte se mit en marche d'un pas rapide, précédée d'Amir et entourée des gardes de sécurité.

Soudain, les six garçons et filles de l'escorte se mirent à chanter, un air joyeux, rythmé:

« Voici la vie, voici la paix, voici la joie.
Elle t'appartient.
Voici la vie, voici la paix, voici la joie.
Garde-la précieusement en toi. »

Après un court silence, ils reprirent le chant. Ils continuèrent ainsi jusqu'à ce qu'ils atteignent l'entrée de l'hôpital, puis la chambre du malade.

C'était une dame dans la trentaine atteinte d'un cancer incurable. Les traitements de chimiothérapie lui avaient fait perdre tous ses cheveux. Pâle, entourée d'un médecin, d'une infirmière, de son mari et de ses deux enfants, deux jeunes filles d'environ sept et huit ans, elle souriait, assise dans son lit.

Les six garçons et filles vêtus de rouge se postèrent à la porte de la chambre, sans y entrer. L'homme en noir se plaça à la droite de Tania, et tous deux s'avancèrent vers le lit et la malade. Alors Tania enleva ses gants, abaissa son capuchon, dégrafa la robe blanche et, aidée de l'homme en noir, s'en départit. Sous la robe, elle portait un short et une camisole blanche. Ses bras, ses mains, ses jambes et sa tête irradiaient le lit et la malade.

Elle s'assit au bord du lit et prit la malade dans ses bras, la serrant contre elle, tendrement. Elle ne pouvait s'empêcher de penser à la perte que la mort de cette femme représenterait pour sa famille, ses deux filles surtout.

L'étreinte dura une minute environ. Personne ne parlait.

Puis l'homme en noir ouvrit le coffre qu'il tenait entre les mains. Tania y prit un pendentif en argent en forme de cœur et, solennellement, le passa autour du cou de la malade.

— Garde précieusement ce gage. Il représente la vie qui bat maintenant en toi.

Elle se releva, revêtit de nouveau sa longue robe blanche, remit son capuchon et ses gants. Aussitôt, les six garçons et filles reprirent, une seule fois, leur chant:

« Voici la vie, voici la paix, voici la joie.

Elle t'appartient.

Voici la vie, voici la paix, voici la joie.

Garde-la précieusement en toi. »

Précédée de l'homme en noir et entourée des garçons et filles vêtus de rouge, Tania quitta la chambre d'hôpital et, solennellement, au milieu des applaudissements de la foule et des caméras de télévision qui filmaient la scène, le cortège rejoignit les voitures.

La visite avait pris à peine une heure.

Tout ce scénario, tout ce déploiement se répéta trois autres fois durant la journée.

*

Pietro Gordini, ainsi que le président et le secrétaire du Conseil Pontifical Justice et Paix avaient suivi les interventions de Tania Fixx sur un téléviseur à leurs bureaux du Vatican, en fait dans le bureau du secrétaire.

— Spectaculaire, dit le président, mais heureusement inoffensif. Il y manque le charisme que dégage la foi, cette foi aveugle qui soulève les masses.

— Madame Fixx est athée, vous me dites, Pietro? fit le secrétaire.

— Je ne crois pas qu'elle soit athée, mon père. Elle a été élevée dans notre foi. C'est une américaine d'aujourd'hui, tout simplement, que l'Église n'intéresse plus.

— Mais qui intéresse l'Église, enchaîna le secrétaire, qui nous intéresse au plus haut point, n'est-ce pas. Un tel apport renouvellerait une chrétienté en perte de vitesse.

Il remercia Pietro Gordini de sa présence et lui demanda de refermer la porte en sortant. Puis il s'adressa au président.

— Monseigneur, nous avons reçu un premier rapport sur l'étude que vous aviez demandée concernant le cas Tania Fixx. Assoyez-vous quelques instants, j'aimerais en discuter avec vous.

Le président prit une chaise, tandis que le secrétaire saisissait un document placé sur le bureau et s'assoyait à son tour. La couverture portait la mention *Archivum Secretum Apostolicum Vaticanum* (Archives secrètes apostoliques vaticanes[1]) écrite en cercle autour d'une tiare et de deux clefs. Il ouvrit le document et en consulta rapidement la première page, laquelle présentait un court sommaire.

---

1 Ces archives dites secrètes mais ouvertes aux chercheurs pour consultation contiennent (officiellement) des documents datant des années 700 à nos jours provenant principalement, mais non uniquement, d'endroits où le pouvoir temporel et spirituel de l'Église s'est exercé. L'extrapolation de l'auteur concernant des textes datant des premières années après la mort du Christ est fictive.

— Monseigneur, je crois que vos appréhensions étaient justifiées. Nos recherchistes se sont concentrés sur les textes et documents ultra-secrets conservés dans nos archives portant sur les premières années de l'Église, soit la période du vivant du Christ allant jusqu'à la destruction de Jérusalem en l'an 70. Deux documents entre autres ont retenu l'attention. Le premier est un rapport de Ponce Pilate[2] à Tibère[3] sur les procès et événements de sa préfecture l'année de la crucifixion. Tibère, déjà vieux et très soupçonneux, exigeait des comptes-rendus détaillés de ses administrateurs. Une note signale que le Jésus de Nazareth qu'il a condamné pour rébellion armée et incitation à la violence guérissait certains malades par imposition des mains, lesquelles dégageaient alors une lueur blanche. Le signataire de la note ajoute cependant qu'il n'a pas été témoin d'une telle guérison. Le deuxième document est un texte non signé conservé avec les écrits de Flavius Josèphe[4] qui sont dans nos archives. Ce texte semble avoir été utilisé par Flavius Josèphe dans la préparation de son livre *Antiquités Judaïques.* Le texte mentionne entre autres que Jésus était un thaumaturge rebelle qui guérissait les gens à volonté par simple contact, et que lui et sa famille vivaient de ces guérisons.

Le président écoutait attentivement sans parler. Le secrétaire continua:

— Nos recherchistes ont aussi fait une corrélation entre l'apparence surnaturelle mentionnée dans plusieurs documents concernant certains individus et même certains animaux considérés comme mythiques, et le rayonnement de madame Fixx. Cette corrélation est positive, du moins dans quelques cas bien précis. Le rapport en fait un exposé détaillé.

Il tendit le rapport au président, qui le prit et le posa sur ses genoux.

— Avons-nous fait des recherches à l'extérieur de nos archives? demanda le président.

— Non. Désirez-vous que cela soit fait?

---

2 Ponce Pilate, 10 av. JC – env. 39 de notre ère. Préfet de Rome en Judée de 26 à 36 de notre ère.

3 Tibère: 42 av. JC – 37 de notre ère. Empereur romain de 14 à 37.

4 Flavius Josèphe: 37 – 100 de notre ère. Historien juif auteur de plusieurs œuvres sur l'histoire des juifs et de la Judée, dont les Antiquités judaïques, en 20 livres, écrit en l'an 93.

— Oui. Particulièrement dans les textes hindous. Aussi dans les écrits des civilisations égyptienne et mésopotamienne. Je crois que nous allons trouver des choses intéressantes.

— Bien, monseigneur.

— J'ai bien peur de constater que Tania Fixx prend sa place dans une suite de personnages gratifiés de dons ou de capacités qui les ont placés à des carrefours particuliers de l'histoire. Comme le Christ, quelle qu'ait été sa vraie vie. Ils ont fait l'histoire, souvent bien malgré eux.

Le secrétaire se taisait.

— Bon. Je vais prendre connaissance du rapport. Restez au courant de tout développement concernant Tania Fixx.

Le soir même, de l'autre côté de l'Atlantique, l'émission phare *CNN Tonight* diffusée à 22 h tous les jours proposait Bernard Dunn comme invité spécial.

Assis derrière un immense bureau semi-circulaire sur lequel trônait deux écrans plats d'ordinateur, l'animateur, dont la marque distinctive était un nœud papillon rouge, amorça son émission. Il commençait toujours par une ou deux phrases qui ne faisaient que mettre en relief le sujet de l'entrevue, présumant que le public connaissait déjà autant le sujet que l'invité. Puis, faisant face à Bernard Dunn assis devant lui de l'autre côté de l'immense bureau, il enchaîna:

— Toute une journée, n'est-ce pas?

— Effectivement, répondit Bernard.

— Regardons d'abord ensemble quelques scènes de ce qui s'est passé à Rome plus tôt aujourd'hui.

Un extrait filmé par une équipe italienne parut alors à l'écran, montrant Tania et son cortège qui marchaient vers l'entrée d'un des hôpitaux romains visités. On entendait distinctement le chant des garçons et filles vêtus de rouge. Un gros plan montra ensuite Tania. On ne voyait pas son rayonnement, caché par ses vêtements. Le film durait autour de deux minutes.

— Très spectaculaire, reprit l'animateur. Pourquoi une telle mise en scène ?

— Vous savez, Tania Fixx ne peut pas passer inaperçue, répondit Bernard. Après Mexico, il fallait changer notre approche. Nous avons pensé que des visites plus ponctuelles auprès de malades en phase terminale seraient une meilleure façon d'agir. Le cortège, le chant, tout ça est fait pour souligner la nature même du geste que fait Tania. En fait, elle redonne la vie, et nous voulons le souligner.

— Vous ne trouvez pas que ça ressemble à une cérémonie religieuse ? dit l'animateur.

— Pas vraiment. C'est très festif. Et aucune prière n'est prononcée. Jamais. Ce n'est pas tellement différent de plusieurs spectacles présentés lors de matchs sportifs.

— Qui paie pour tout ça ? Les malades doivent-ils payer un coût de traitement, si je peux utiliser ce mot ?

— Il n'y a aucuns frais, on ne demande aucune contribution, expliqua Bernard. Les visites de Tania Fixx sont entièrement payées par les dons que reçoit le Trust Tania Fixx, le TTF comme nous l'appelons familièrement.

— Comment réagit la communauté médicale ? questionna encore l'animateur.

— Très positivement. En fait, nous avons leur entière collaboration afin d'identifier les patients que nous choisissons de visiter.

— Ça ne doit pas être facile de faire de tels choix.

— Effectivement. Mais madame Fixx ne peut rencontrer tous les malades de la terre.

— Quels sont vos critères de sélection ?

— Nous essayons d'être le plus utiles possible et nous nous concentrons sur les personnes dont le décès prématuré mettrait d'autres personnes en danger, comme des enfants, ou affecterait négativement des œuvres importantes. Mais le choix est souvent déchirant.

— Je comprends, répliqua l'animateur. Parlez-moi maintenant du TTF, le Trust Tania Fixx.

Bernard Dunn expliqua le fonctionnement du Trust, les responsabilités de chacun des employés, l'origine des dons, en fait tout ce que l'animateur lui demandait de préciser, incluant les sommes d'argent reçues et dépensées depuis sa création.

L'entrevue dura environ vingt minutes et, en terminant, l'animateur dit:

— Bernard Dunn, merci beaucoup. Je vous souhaite bonne chance.

Puis, se tournant vers la caméra:

— Pour ceux et celles qui seraient intéressés à contribuer au Trust Tania Fixx, prenez note de l'adresse qui apparaît maintenant au bas de votre écran. Merci à tous, et à demain.

Chapitre 10

Yossef Al-Idrissi et ses deux acolytes, Ali Khartami et Omar Ahjedin, avaient depuis un certain temps pris la direction effective de l'Agneau lumineux de Dieu, qui était devenu un mouvement semi-religieux. Leur approche avait changé considérablement: au lieu de recevoir quelques fidèles et malades demandant d'être exposés à la lumière de l'agneau, ils se déplaçaient de ville en ville, de village en village, pour montrer l'agneau et tenter de rallier les gens à leur mouvement. Souvent Yossef dépêchait un de ses acolytes, sans même l'agneau, afin de rencontrer les gens. Celui-ci en profitait pour distribuer la brochure du mouvement, le *Petit Livre,* qui résumait les points saillants de « la bonne nouvelle », c'est-à-dire le renouveau qu'ils s'efforçaient de répandre. Lorsqu'une personne décidait de se joindre à l'Agneau lumineux de Dieu, on la conviait à un cérémonial de communion où on remplaçait le sang de l'agneau par du vin, tout simplement, lequel symbolisait le sang lumineux. Mossul s'était accommodé de ce procédé différent. Quant au prince Abdallah, il faisait part fréquemment de ses craintes devant la tournure que prenaient les événements, mais profondément, ni lui ni l'establishment religieux ni les autorités politiques ne s'y opposaient.

L'agneau avait grossi. Beau et lumineux, c'était un animal docile, habitué aux manipulations des humains. En raison des pressions de la communauté scientifique et à la demande du prince, on l'avait soumis à plusieurs tests médicaux pour vérifier son état de santé et essayer de comprendre la nature du rayonnement. Plusieurs experts étaient venus des États-Unis, de la Russie et même d'Asie. Peine perdue: on ne trouva rien. On fit évidemment des rapprochements avec le cas de Tania Fixx, on compara la nature du rayonnement et ses effets, mais somme toute, on n'élucida rien.

Depuis trois jours, les dirigeants de l'Agneau lumineux de Dieu se déplaçaient en convoi à travers la Tunisie. Ils longeaient la côte et se dirigeaient maintenant vers Gabès où une rencontre était prévue. L'expérience leur avait enseigné qu'une escorte de quelques véhicules, bien armée, suffisait pour tenir les curieux à distance, même si de nombreux camions, autos et motos se joignaient souvent à eux. Le convoi se déplaçait en suivant un ordre prédéterminé: un Land Rover transportant quatre gardes armés ouvrait la voie, suivi d'une Mercedes où étaient assis Yossef, Ali et Omar, suivie elle-même d'une deuxième Mercedes abritant le prince Abdallah et Mossul. Un petit fourgon transportant l'agneau et ses provisions suivait, tandis qu'un dernier Land Rover, avec quatre autres gardes armés, fermait officiellement le cortège. On surveillait particulièrement les intersections et les feux de circulation, où le convoi risquait de devoir se séparer temporairement. Les assistants et le personnel de soutien suivaient, sans faire partie du convoi proprement dit.

On approchait de Ma'iyah, un minuscule hameau, et une voie ferrée longeait la route. Depuis quelques minutes, Yossef avait remarqué sans trop y prêter attention qu'ils doublaient des camions stationnés sur l'accotement de la voie carrossable. À deux reprises, on les avait observés, sans bouger. Ce n'était pas normal et le Land Rover de tête ralentit l'allure, ce qui ralentit l'ensemble du convoi.

À cet instant précis, on entendit un sifflement et la voiture dans laquelle se trouvaient Mossul et le prince explosa, tuant instantanément tous ses occupants.

Puis quelque chose frappa le Land Rover de tête, qui se désintégra complètement.

Le restant du convoi s'arrêta dans un désordre total. Les gardes armés du Land Rover qui fermait la marche sortirent de leur véhicule et coururent vers les fossés qui bordaient la route, mais il n'y avait personne. Fou d'inquiétude, Yossef se dirigea en courant vers le fourgon de l'agneau et à son grand soulagement constata qu'il n'avait pas été touché. Il resta près du fourgon, ne sachant réellement que faire. Puis on entendit un hélicoptère décoller du champ derrière la voie ferrée. Lorsqu'il fut au-dessus des arbres et des quelques bâtiments qui l'avaient dissimulé, on le vit tourner vers l'est et se diriger vers la mer.

De toute évidence, l'attentat avait été minutieusement préparé et les assassins étaient au courant des déplacements exacts du convoi de l'Agneau lumineux de Dieu. Yossef passait en revue une par une toutes les personnes qui avaient contribué à la préparation de leur itinéraire, mais il ne trouvait rien. Le traître, s'il y en avait un, serait difficile, voire impossible à démasquer. Cela le rendit furieux d'abord, puis, devant l'inutilité de sa colère, il se calma et se concentra plutôt sur l'opportunité qui s'offrait à lui de prendre en charge le mouvement.

La publicité médiatique qui s'ensuivit contribua à sensibiliser le public sur la cause de l'Agneau lumineux de Dieu et ses adeptes, ce qui propulsa Yossef, Ali et Omar à l'avant-scène de la nouvelle internationale. À Tunis, on organisa des funérailles émouvantes pour le prince Abdallah, auxquelles assista le président de la république.

Washington ne bougea pas. Les rapports des agents qui avaient infiltré l'Agneau lumineux de Dieu ne permettaient pas d'identifier les auteurs de l'attentat ni sa raison.

Yossef, Ali et Omar étaient toujours à Gabès dix jours plus tard. Sur le coup, dévastés par la mort de Mossul et du prince, ils avaient rapidement réalisé que l'attentat, quoique déplorable et sans excuses, les rendaient maître des destinées de l'Agneau lumineux de Dieu.

C'était le matin et tous trois prenaient leur petit-déjeuner.

— Je crois que ce serait le moment de reprendre nos activités, dit Yossef.

— C'est vrai, il faut se montrer, dire à nos gens que l'Agneau lumineux de Dieu est toujours avec eux, renchérit Ali.

— Nous devrions profiter de l'occasion qui nous est donnée pour consolider le mouvement, ajouta Omar. Il faut montrer que loin de nous détruire, l'attentat a raffermi nos espoirs.

Yossef mangeait machinalement, sans trop porter attention à ses compagnons.

— Mais qu'ont-ils essayé d'accomplir? Qui est derrière tout cela? dit-il soudain.

— Nous avons déjà eu cette conversation à plusieurs reprises, répondit Ali. Il n'y a pas de réponse, tu le sais bien, Mawlawi. Du moins pas de réponse pour l'instant.

Omar saisit une orange sur la table et commença à la peler.

— Les gens vont se joindre à nous en plus grand nombre maintenant. Je propose que des rencontres de communion massives soient organisées, à partir d'immédiatement, ici même, dit-il.

L'idée était excellente et surprit Yossef. On la discuta longuement.

Finalement, ils furent tous d'accord. On se concentra donc sur la logistique des rencontres de communion.

Trois jours plus tard, la première session de communion eut lieu. On avait réservé une salle de cinéma, aucun autre local n'étant disponible. Trois cents places assises, et la salle était remplie. Comme toujours, des gardes de sécurité surveillaient les allées et venues de tout ce monde. L'agneau était couché sur une petite estrade sur laquelle était assis Yossef vêtu d'une robe blanche. Omar et Ali, en djellabas blanches aussi, étaient assis un peu à l'écart.

— Mes amis, merci, merci d'être avec nous ce soir, commença Yossef. Plusieurs d'entre vous connaissent déjà notre mouvement. Plusieurs d'entre vous ont déjà reçu la lumière de Dieu. Je remercie Allah de nous avoir éclairés ainsi de sa grâce et de nous permettre de partager sa lumière.

Il marqua un temps d'arrêt, puis continua:

— Ce soir, nous invitons tous ceux qui le désirent, sans autre forme d'instruction, sans distinction de rang, de sexe ou d'âge, à se joindre officiellement à nous. Nous vous invitons à faire partie de l'Agneau lumineux de Dieu. À quoi cela vous engage-t-il? À devenir de meilleures personnes. Si vous le désirez, vous pourrez laisser tomber des pratiques désuètes qui vous empêchent de vous joindre à la grande communauté humaine internationale.

Il s'arrêta, descendit de l'estrade et marcha vers la première rangée de sièges.

— Personne ne vous oblige cependant à renier quoi que ce soit ni qui que ce soit. Vous êtes libres de vos pensées.

Nouvelle pause.

— Voilà. Je veux que vous y songiez. Nous allons maintenant procéder à l'exposition à la lumière de Dieu. Vous n'avez qu'à vous lever et à venir vous placer près de l'agneau quelques secondes. Veuillez suivre les directives de mes assistants pour que tout se déroule en ordre. Ce sont les personnes vêtues de robes bleues. Pour ceux et celles qui ont décidé d'accepter notre invitation, Ali et Omar – il les montra en se tournant vers eux – vont vous présenter le cérémonial d'engagement ici, à ma gauche, et vous remettre notre *Petit Livre,* lequel résume la bonne nouvelle que nous propageons.

Il retourna sur l'estrade.

— Comme toujours, nous acceptons vos dons et offrandes avec joie. Ce sont nos seules sources de revenu. Vous êtes libres de donner ce que vous voulez – et il montrait les paniers placés de chaque côté de l'agneau, sur l'estrade –. Une autre session de communion est prévue dans deux jours. Invitez vos amis, parlez-leur de l'Agneau lumineux de Dieu. Que tous bénéficient de l'Agneau lumineux de Dieu! Rendons grâce à Allah!

Immédiatement, le personnel en robe bleue se déploya et prit la foule en charge.

À la fin de la cérémonie, on compta le nombre de Petits Livres qui avaient été distribués, donc de communiants. Au total, 239 nouveaux adeptes avaient joints l'Agneau lumineux de Dieu. Personne ne s'était opposé à boire un peu de vin, lequel représentait le sang de l'agneau.

À la cérémonie du surlendemain, 276 personnes de plus communièrent. Yossef estima que l'Agneau lumineux de Dieu comptait déjà plus de 3000 membres, disséminés à travers l'Afrique du Nord, quoique certains fussent venus d'Arabie, d'Iran, d'Irak, voire du Pakistan pour bénéficier de la lumière de l'agneau. Tout cela sans compter les gens qui, sans s'être joints à la cause, connaissaient l'Agneau lumineux de Dieu et sa mission ou y étaient favorables.

L'approche mise en pratique à Gabès fit boule de neige. En l'espace de quelques semaines, des milliers de personnes communièrent, c'est-à-dire acceptèrent les préceptes enseignés dans le *Petit Livre.* L'Agneau lumineux de Dieu se répandait comme une traînée de poudre. Bien sûr, le pouvoir guérisseur du rayonnement de l'agneau y était pour quelque chose: c'est ce qui attirait les gens de prime abord. Mais le mouvement dépassait largement le phénomène que représentait l'agneau.

Politiquement, le gouvernement tunisien observait, mais laissait faire.

Les États du Moyen-Orient, eux, s'inquiétaient du phénomène que les religieux appelaient déjà «la secte hérétique».

Yossef voulait accélérer la propagation du message du mouvement. À ses yeux, la vitesse de propagation de leurs idées réduirait les risques de nouvelles tentatives d'élimination. Afin de profiter de l'engouement grandissant pour l'Agneau lumineux de Dieu, il proposa qu'Ali et Omar quittent le groupe et aillent propager «la bonne nouvelle» ailleurs. Ils agiraient en tant que précurseurs d'une visite éventuelle de l'agneau, laquelle pourrait être organisée dès qu'un nombre suffisant de communiants serait constitué.

On décida qu'Ali se rendrait au Caire d'abord, puis remonterait le long de la mer jusqu'au Liban. Omar proposa lui-même de se rendre en Arabie Saoudite, région que tous considéraient plus coriace et plus réfractaire aux idées du mouvement, pour se diriger ensuite vers l'est à travers l'Irak et l'Iran. Yossef concentrerait ses énergies sur le Maghreb, où se situait la majorité des adeptes et où la lumière de l'agneau, dispensatrice de guérison et de santé, était rendue disponible à qui la demandait.

∽

Le gouvernement tunisien croyait que la mort du prince avait déstabilisé les assises du mouvement, et Zine Chikri, le ministre des Affaires religieuses, entra en contact avec Yossef. Il lui fit comprendre que la population et la communauté internationale associant déjà l'Agneau lumineux de Dieu au centre qu'avait été Oued Ellil jusqu'à récemment, le mouvement aurait avantage à conserver sa base d'opérations au même endroit.

Le ministère des Affaires religieuses finança donc la recherche et l'acquisition d'une propriété propice à l'installation et au fonctionnement de l'Agneau lumineux de Dieu à Oued Ellil. C'était un petit complexe hôtelier avec garages et ateliers dans les environs immédiats de la ville. Il fut rapidement transformé et aménagé pour répondre aux besoins du mouvement.

Dans le processus, le ministre Zine Chikri s'était fait un allié: Yossef Al-Idrissi.

Chapitre 11

Tania Fixx passa plus d'un mois en Europe, soit deux semaines en Italie, une semaine en Allemagne et une semaine en France. Le cérémonial de visite fut exécuté cent fois, soit pour chacun des malades choisis. Vers la fin, les médias ne s'y intéressaient presque plus. On signalait simplement la visite et le malade concerné. La foule, elle, réagissait encore, les gens s'agglutinant près des hôpitaux où on savait que Tania se présenterait. En somme, la stratégie avait porté fruit: Tania et son cortège était assimilés à une visite spéciale, voire extraordinaire de guérison sans que les médias ressentent le besoin de déléguer chaque fois une armée de reporters pour couvrir l'événement. Amir Sharouf fit rapport en ce sens au Mentor: le danger Tania Fixx avait baissé d'un cran.

De retour à Boston, Tania prit quelques jours de repos. Elle était physiquement fatiguée, mais spirituellement en pleine forme: « sa mission » s'accomplissait, elle avait pris goût à sa nouvelle vie et en supportait les aléas avec plus de sérénité.

On avait fait beaucoup de cas en Europe de ce qu'on appelait les adeptes de l'Agneau lumineux de Dieu et Tania avait demandé au TTF de se renseigner davantage sur ce qui se passait en Afrique du Nord. Le TTF se réunissait aujourd'hui pour en discuter.

Louise Kennedy fit d'abord un compte-rendu sommaire des dernières affaires du TTF. Puis elle demanda à Bernard Dunn de prendre la parole. Ce dernier jouait un rôle de plus en plus important au sein du TTF. Il avait pris conscience que Tania ne faisait presque rien sans lui demander d'abord son avis, ce qui le flattait. En fait, il entretenait des sentiments ambigus à son égard. Elle lui plaisait énormément, physiquement entre autres, et, veuf, il n'avait ni femme ni petite amie. Comme elle était isolée de tout contact normal pour une jeune femme de son âge, il avait souvent songé à se rapprocher d'elle. Mais il ne le faisait pas, se comportant davantage comme un père que comme un éventuel amoureux. Il se leva donc et commença sa présentation.

— Comme nous le savons tous, l'Agneau lumineux de Dieu est ce mouvement qui tire son origine des pouvoirs de guérison d'un agneau lumineux, un pouvoir sinon identique, du moins très similaire à celui de Tania. Vous vous souviendrez d'ailleurs que l'apparition de cet agneau fut abondamment commentée dans la presse internationale au moment de ses premières manifestations. De fait, la coïncidence est troublante. Elle reste bien sûr totalement inexpliquée.

Bernard fit circuler des photos.

— Voici des clichés qui ont été pris au cours des derniers mois.

On voyait l'agneau, sa lumière, les foules qu'il attirait.

— Compte tenu du court délai de préparation que nous avions, nous n'avons pu envoyer d'observateur sur place. Mais voici, en résumé, ce qui s'est passé dernièrement.

Bernard fit alors un long exposé sur les derniers événements concernant l'Agneau lumineux de Dieu: l'attentat qui avait tué le berger Mossul et le prince Abdallah, la prise en charge de l'organisation par Yossef Al-Adrissi et ses associés et son expansion fulgurante depuis ce temps.

— L'Europe craint un débordement religieux, dit Tania. Apparemment, le mouvement est vu d'un très mauvais œil par tout le Moyen-Orient.

— Incluant Israël, précisa Bernard.

— Avons-nous plus d'information sur son chef, Yossef Al-Idrissi? demanda Louise.

— Très peu. C'est un type qui a étudié la médecine, puis qui s'est consacré au Coran. C'est un modéré. On dit même que c'est un réformateur, révéla Bernard.

— J'imagine que nous pourrions le contacter? lança Tania. Nous avons quand même quelques intérêts communs.

— J'ai bien pensé que c'était ce que vous proposeriez, répondit Louise. Nous allons donc tenter d'établir un contact. On verra bien. Bernard prendra personnellement en charge ce projet.

Le personnel du TTF réussit, après quelques recherches, à retracer, puis à prendre contact, par téléphone, avec des gens de l'Agneau lumineux de Dieu. Finalement, Bernard Dunn eut Yossef Al-Idrissi lui-même au bout du fil.

— Monsieur Al-Idrissi...

— Appelez-moi Yossef, monsieur Dunn, je vous en prie.

Bernard fut surpris de cette familiarité immédiate.

— D'accord, Yossef. Mais je vous prie de m'appeler Bernard en retour. Je sais que votre temps est précieux et j'en viens donc directement au but de mon appel. Nous pensons que l'Agneau lumineux de Dieu et le Trust Tania Fixx ont à la base des objectifs qui se ressemblent. Ai-je raison, Yossef?

— Si on se limite à l'aspect médical de nos actes, vous avez raison, Bernard.

— Vous savez sans doute que le Trust Tania Fixx n'a aucune ambition de nature politique ou religieuse. Nous avons appris par contre que l'Agneau lumineux de Dieu soulève beaucoup de questions dans les milieux religieux islamiques.

— Faites-vous allusion à l'attentat dont nous avons été victimes? questionna Yossef.

— Cet attentat est malheureux et nous sommes aussi perplexes que vous sur ceux qui sont derrière ce crime et leurs objectifs. Mais je faisais surtout état des craintes que votre mouvement suscite un peu partout dans le monde arabe. En Europe aussi.

— Nous ne sommes pas intimidés par ces craintes, commenta Yossef.

— Non, sûrement, dit Bernard. Mais nous pouvons peut-être étudier ensemble comment mieux les canaliser.

Bernard se tut, attendant la réaction de Yossef.

— Que cherchez-vous, au juste ? finit par demander Yossef.

— Nous croyons qu'en agissant de façon concertée, nous pourrions peut-être rassurer ceux qui s'inquiètent et prévenir des événements regrettables.

Il n'y eut pas de réponse. Bernard ajouta alors :

— En fait, Yossef, j'aimerais vous rencontrer. Cela est-il possible ?

— Madame Fixx participerait-elle à cet entretien ?

— Si vous le désirez, je vais lui faire part de votre demande.

— Nous allons y réfléchir. Pouvons-nous vous joindre facilement ? demanda Yossef.

Bernard lui donna les coordonnées du TTF et, après les politesses d'usage, rompit la communication.

L'Agneau lumineux de Dieu accepta finalement la proposition du TTF, et après discussion, comme tout déplacement de Tania posait des problèmes de logistique plus complexes que ceux entourant le chef de l'Agneau lumineux de Dieu, il fut décidé que Yossef, accompagné d'une assistante et d'un conseiller juridique, viendrait à Boston deux semaines plus tard. Le TTF avait proposé ce délai, car Tania devait se soumettre à d'autres tests et analyses médicales de recherche. On désirait notamment lui prélever un ovule afin de vérifier la transmissibilité de la mutation génétique qu'on croyait être à l'origine de son état. Tania s'y opposait : l'idée d'une fécondation in vitro ne l'intéressait pas, quelles que soient les raisons. Elle promit par contre d'y réfléchir.

Yossef et sa suite arrivèrent sans encombre à Boston et furent logés à l'hôtel Radisson du centre-ville. Le matin de la rencontre, le TTF expédia une voiture à l'hôtel pour prendre les visiteurs et les conduire à l'hôpital militaire. Bernard Dunn et Louise Kennedy étaient là pour les accueillir. Ils se dirigèrent ensuite vers la salle réservée pour le meeting, où Tania et Amir Sharouf les attendait. Amir avait insisté pour assister à cette rencontre. Sûrement, le Mentor y était pour quelque chose.

Apercevant Tania, Yossef ne put retenir une exclamation de surprise. Tania était vêtue d'un tailleur léger de teinte marine, ce qui accentuait son aura. Elle illuminait doucement tout objet ou toute personne près d'elle. On se présenta, on échangea des présents, des compliments, des banalités sur le voyage. Amir put converser en arabe avec les visiteurs. Il était évident que Yossef et Tania étaient mutuellement attirés, et Bernard le remarqua. Tania, en particulier, semblait subjuguée par la présence physique de Yossef.

On en vint enfin à la réunion et Louise Kennedy lança la discussion.

— Monsieur Al-Idrissi, madame, monsieur, nous aimerions d'abord vous parler un peu de nous.

Bernard Dunn prit alors une quinzaine de minutes pour expliquer la raison d'être du TTF, ses activités, les buts recherchés et les résultats atteints jusqu'à présent. Tania ajouta plusieurs commentaires précisant ce qu'elle s'était donné pour mission et comment elle croyait y parvenir.

Louise Kennedy reprit la parole:

— Monsieur Al-Idrissi, pouvez-nous maintenant nous parler un peu de l'Agneau lumineux de Dieu?

Yossef s'exécuta. Il résuma la naissance du mouvement, son évolution, la mission quasi religieuse qui s'était naturellement imposée et les derniers développements, les activités les plus récentes.

— On nous rapporte qu'en fait vous cherchez à convertir vos membres à une nouvelle religion, dit Tania. L'agneau et ses pouvoirs de guérison ne seraient qu'une façon d'attirer les gens.

— C'est inexact, répondit Yossef. La lumière de l'agneau fait partie intégrante de notre mission. Mais en plus, nous cherchons à rajeunir certaines prescriptions du Coran. Sans entrer dans des explications inutiles ici, nous croyons que le mouvement représente une opportunité pour l'islam de rejoindre les temps modernes.

— Pour l'islam? questionna Bernard Dunn.

— Si Dieu le permet, répondit Yossef en baissant les yeux.

Tania observait intensément Yossef. Son air de professeur trop sérieux lui plaisait et, son esprit délaissant la discussion, elle imaginait toutes sortes de scénarios amoureux avec lui.

— Permettez-moi cette digression, dit-elle soudainement. Quel âge avez-vous, Yossef?

Surpris, ce dernier jeta un coup d'œil vers son conseiller juridique, qui lui fit un léger signe de la main.

— Trente ans, madame Fixx.

Tania gardait le silence, ce qui provoqua un moment de malaise.

— Et vous, madame Fixx, quel âge avez-vous ? dit enfin Yossef avec un large sourire.

— Trente et un ans, répondit-elle en riant. Excusez-moi, monsieur Al-Idrissi.

— Yossef, dit-il.

— Tania, ajouta-t-elle – et en les désignant –, voici Amir, Bernard, Louise. Et… ? demanda-t-elle en tendant le bras vers l'assistante de Yossef.

— Jasmine, répondit cette dernière.

— Puis… ? reprit Tania en pointant la main vers le conseiller juridique.

— Muhammad, dit celui-ci.

Bernard avait observé le petit jeu de Tania et relança la discussion :

— Reprenons où nous en étions. Vous visez donc une transformation de l'islam. Croyez-vous qu'on vous permettra de réaliser votre objectif ? Le sectarisme et le radicalisme caractérisent une certaine partie du monde islamique et vous savez comme moi que leurs moyens ne s'embarrassent pas de considérations, disons…

Bernard cherchait ses mots, Yossef l'interrompit :

— … humanitaires, Bernard, ou légales. Nous en sommes bien conscients. C'est pourquoi nous espérons que notre meilleure arme soit la vitesse. Plus vite nous réussirons à sensibiliser les gens, plus nous réussirons à les rallier à notre cause, plus il deviendra difficile de nous arrêter. On ne peut pas empêcher des millions de personnes d'adopter un mode de pensée plus actuel. On ne peut pas empêcher des millions de personnes de revitaliser leur foi en la modernisant.

Un silence se fit. C'était une déclaration inattendue, une confirmation des analyses que le TTF avait menées.

— Accepteriez-vous de séparer le côté religieux du côté, disons, médical de l'Agneau lumineux de Dieu? demanda alors Louise.

— C'est impossible, répondit Yossef. Plus maintenant. Nous devons nous servir de l'agneau. C'est d'ailleurs, rappelez-vous, le fondement même du mouvement. Il en tire son nom.

Tania posa alors une question inattendue :

— Pouvons-nous vous aider ?

Tout le monde fut surpris et personne n'osait prendre la parole. Bernard reprit l'initiative:

— Tania pose une bonne question. En présumant que nous pourrions trouver une façon de ne pas nous immiscer dans les affaires religieuses qui vous concernent, comment pouvons-nous travailler ensemble?

Yossef ne répondit pas. C'est Muhammad qui prit la relève:

— Je crois que la question demande un temps de réflexion. Puis-je suggérer que la rencontre d'aujourd'hui se termine maintenant et que nous reprenions nos échanges plus tard?

On s'entendit rapidement pour se revoir le lendemain, puis, après avoir offert le lunch à leurs invités, qui refusèrent, Bernard organisa leur retour à l'hôtel.

Tel qu'entendu, la réunion reprit le lendemain matin. Muhammad prit la parole dès que Louise eut terminé son entrée en matière:

— Évidemment, nous aimerions travailler avec vous et nous nous sommes questionnés longuement, hier, sur la façon dont nous pourrions y arriver. En fait, nous avons retenu deux solutions. La première impliquerait que vous adoptiez publiquement notre cause. Cela ne veux pas dire de vous convertir à «la bonne nouvelle» comme nous appelons notre message, mais d'en parler, de l'accepter, de la rendre intelligible au monde non musulman. Il y a, sans que vous le vouliez, un aspect religieux à votre action, et par ricochet, l'adoption publique de notre cause aurait chez nous un effet non négligeable. La deuxième solution serait plus complexe, mais potentiellement plus efficace. Elle impliquerait une action en parallèle chez nous. Je m'explique. Pendant que nous continuons nos efforts de propagation, si je puis m'exprimer ainsi, vous pourriez entreprendre une diffusion de votre message humanitaire auprès des éléments plus radicaux de notre foi. Ce serait encore mieux si votre message incluait une partie du nôtre. Idéalement, en cherchant un peu, on pourrait trouver une façon exempte de tout élément religieux de promouvoir la nécessité de moderniser la pensée musulmane.

Il s'arrêta. Yossef observait attentivement Tania. Il attendait une réaction de sa part, ou de Bernard.

— Nous avions aussi pensé à des visites dans le monde musulman, dit enfin Tania en s'approchant plus près de la table de travail. Nous pourrions concentrer nos efforts sur des endroits réputés religieusement plus stricts, comme l'Iran, ou tout autre endroit que vous pourriez nous recommander.

— Quant au message précis, ajouta Louise, le fait que Tania soit une femme est peut-être une piste de solution.

— Visiteriez-vous une région militairement instable? demanda soudainement Yossef.

— Que voulez-vous dire? questionna Bernard.

— Certains coins de la Palestine, du Liban, du Pakistan et de l'Afghanistan sont reconnus comme des foyers de radicalisme. Mais ils ont des malades, eux aussi. Ce pourrait être une porte d'entrée. Comme cette porte ne nous est pas ouverte, à moins d'agir à couvert, une action publique de votre part aurait un très grand impact.

— Ce serait possible, dit Tania. Je suis certaine que nos autorités accepteraient de nous aider à ce sujet, n'est-ce pas Bernard?

— Je ne sais pas, Tania. Probablement.

— Votre deuxième option semble intéresser Tania et Bernard, dit Louise en s'adressant à Muhammad. Essayons donc de la préciser un peu plus.

On en discuta pendant deux heures, jusqu'après le lunch qu'on avait fait porter à la salle de réunion. Et on en vint à une conclusion qui, même si elle n'était pas définitive ni parfaite, rallia les deux parties.

Le surlendemain, Amir Sharouf était à Washington. Il avait demandé deux jours de congé pour visiter des amis. Il rencontra une première fois le Mentor deux heures après son arrivée pour lui faire un compte-rendu rapide de la rencontre avec Yossef Al-Idrissi. Devant l'importance des décisions qui avaient été prises, le Mentor organisa une deuxième réunion le lendemain matin à laquelle assistait le Patron, comme l'agence le nommait.

Amir, le Mentor et le Patron étaient assis autour d'une table ronde, dans une petite salle de réunion. Des cafés et des beignets étaient servis. Après avoir présenté le Patron, le Mentor dit:

— Amir, répétez donc brièvement ce que vous m'avez annoncé hier.

— D'accord, monsieur. Le TTF a reçu le dirigeant de l'Agneau lumineux de Dieu à Boston il y a deux jours. Ce dernier était accompagné d'une assistante et d'un avocat. Après avoir échangé des informations sur leurs activités réciproques, l'Agneau lumineux de Dieu et le TTF se sont entendus pour entreprendre une action concertée au Moyen-Orient dans quelques mois.

— Avez-vous assisté à cette rencontre, monsieur Sharouf? demanda le Patron.

— Oui, monsieur.

— Poursuivez.

Amir décrivit minutieusement le plan qui avait été accepté et donna les détails de son exécution.

— Je crois que la présence de madame Fixx au Moyen-Orient ne peut que nous être bénéfique, dit le Mentor. Si sa mission humanitaire mettant en relief l'Agneau lumineux de Dieu est un franc succès et contribue à une relâche de la tension entre les diverses factions religieuses en présence, ce qui m'étonnerait, cette relâche pourra être utilisée pour faire avancer certains de nos dossiers. Si, par contre, sa mission est un échec et qu'elle y laisse même sa peau, ce qui est fort possible, nous pourrions nous servir de cette situation pour riposter soit diplomatiquement, soit militairement, selon ce que les circonstances dicteront. En fait, l'échec avec perte de vie nous enlèverait un fardeau.

— Pouvons-nous influencer le résultat désiré? demanda le Patron.

— Nous avons des agents à l'intérieur de l'Agneau lumineux de Dieu, répondit le Mentor. Mais je ne crois pas que leurs services soient nécessaires. Nous avons aussi des agents près des autorités tant religieuses que politiques dans certains pays, mais personne d'assez bien placé en Afghanistan, ni au Pakistan.

Le Patron remercia Amir de sa visite, et ce dernier quitta la salle. Il s'adressa ensuite au Mentor:

— J'aimerais que votre service prépare quelques scénarios d'intervention exécutables lors de cette mission du TTF au Moyen-Orient. Par exemple, un scénario d'élimination des membres du TTF. Aussi, un scénario de maximisation des efforts de l'Agneau lumineux de Dieu. Enfin, peut-être un scénario d'ouverture aux talibans et aux autorités iraniennes, si le TTF nous y amenait.

— D'élimination? demanda le Mentor.

— Nous avons reçu diverses informations de sources officielles de même que de sources inconnues. Par exemple, vous seriez surpris de constater que certaines sources officielles ont fait un rapprochement entre le rayonnement de madame Fixx et Lucifer, le porteur de lumière, et qu'ils craignent des interventions de madame Fixx qui pourraient s'avérer inconciliables avec leur conception de notre société, aussi irréaliste que cela peut vous sembler. Ces sources sont très haut placées, croyez-moi. D'autre part, un mouvement religieux auquel serait associé l'islam est généralement mal accepté. Tania Fixx serait impuissante à contrôler un tel mouvement.

— Je vois. Très bien, monsieur.

Chapitre 12

Le succès des visites en Europe fut suivi d'un afflux de demandes d'interventions provenant de partout. En attendant que le plan visant le Moyen-Orient soit complètement élaboré et ait été vérifié par les services de sécurité, le TTF sélectionna vingt grands malades de la côte ouest nord-américaine afin de répondre aux demandes les plus urgentes de ce coin du continent et tria les demandes reçues d'autres endroits en prévision de voyages ultérieurs. Les malades choisis représentaient un périple débutant à San Diego pour se poursuivre vers Los Angeles, San Francisco, Seattle et, finalement Vancouver, au Canada.

Ces interventions étant relativement faciles à encadrer et à surveiller, les conseillers de la CIA n'y opposèrent pas d'objections, ni de conditions.

Comme c'en était devenu l'habitude et à la demande des services de sécurité, Tania et Amir voyagèrent en jet privé, nolisé pour l'occasion. Les membres de l'escorte, les gardes de sécurité de même que les assistants prirent des vols commerciaux réguliers.

Trois grands malades furent visités à San Diego et trois autres à Los Angeles. Bien que considérable, la couverture médiatique n'était plus celle des interventions publiques initiales. La foule, par contre, se massait aux portes des hôpitaux où apparaissait le cortège de guérison. L'escorte de déplacement fit grande impression. À la vue de Tania entourée des adolescents qui chantaient, plusieurs curieux s'agenouillèrent.

Les trajets vers San Francisco et Seattle de même que les visites effectuées dans les hôpitaux sélectionnés de ces villes furent de même nature: quelques caméras de télévision, une foule aux portes des hôpitaux, beaucoup de respect et de recueillement durant les déplacements à pied de l'escorte.

La dernière étape de ce voyage était Vancouver. Trois malades avaient été choisis, tous trois des patients en phase terminale de l'hôpital Mont Saint-Joseph, au centre-ville.

L'avion nolisé se posa à 9 h à l'aéroport privé Boundary Bay, situé à trente minutes au sud de la ville. Il était prévu de repartir la journée même tôt en soirée. Tania et Amir, accompagnés de gardes de sécurité supplémentaires qui les attendaient à l'aéroport, se rendirent à l'hôtel Vancouver rejoindre les membres de l'escorte ainsi que les assistants, arrivés la veille.

Comme il le faisait toujours, le cortège de guérison se servit d'un minibus et de voitures pour se rendre à l'hôpital, situé tout près. Il y avait beaucoup de monde, la télévision couvrait l'événement. À l'hôpital, Tania et son escorte de marche suscitèrent un grand émoi: le silence se fit, et la foule, recueillie, entonna en chœur le chant des adolescents.

Tania fut de retour à l'hôtel vers 16 h. Elle eut le temps de se rafraîchir, d'enfiler un pantalon et un chandail, ainsi que d'avaler un sandwich avant le départ vers l'aéroport, lequel était prévu pour 18 h. Le trajet vers Boundary Bay fut plus lent que prévu: l'heure de pointe n'était pas terminée et l'escorte sécurisée du TTF fut ralentie. L'avion, qui devait les attendre tout près du terminal, avait été déplacé. Amir, toujours sur ses gardes, demanda à l'un des agents de sécurité du convoi de rester avec lui près de Tania. Le terminal était presque vide, et à leur arrivée, une jeune femme en tailleur marine qui s'identifia comme un membre du personnel du service aéroportuaire les attendait. Elle était seule. Amir signala alors au garde de sécurité de retourner vers son véhicule, et la préposée conduisit directement Tania et Amir vers l'avion stationné environ deux cent mètres plus loin. L'avion était illuminé, l'escalier d'embarquement était sorti et on apercevait le pilote à l'avant.

Au pied de l'escalier, la préposée sortit un pistolet de son sac et d'un ton sec, ordonna à Tania et Amir de monter à bord.

Surpris, Amir voulut réagir, mais, prévenant le coup, la prétendue employée lui tira une balle dans l'épaule. Le choc poussa Amir sur Tania, qui le saisit par le bras.

— Montez, dit la femme en les menaçant de son arme. Ne me forcez pas à vous faire plus de mal.

Complètement abasourdis, Tania et Amir obéirent, la femme derrière eux.

Dès qu'ils furent à bord, un jeune homme au teint basané sortit de la cabine de pilotage et ferma la porte de l'avion, qui, immédiatement, mit ses moteurs en marche.

L'avion décolla dix minutes plus tard. À l'altitude de croisière, le jeune homme décrocha sa ceinture de sécurité, posa un revolver sur ses genoux et s'adressa à la préposée.

— Maria, occupe-toi de la blessure de monsieur Sharouf.

Pendant que Maria fouillait dans un compartiment de la cabine à la recherche de matériel de premiers soins, il continua:

— Restez calmes, s'il vous plaît. Il ne vous arrivera aucun mal.

— Qui êtes-vous? demanda Amir en se tenant l'épaule.

— Cela n'a aucune importance, monsieur Sharouf.

Puis, s'adressant à Tania:

— Nous serons en vol pendant plus de quatre heures. Nous avons besoin de vos services, madame Fixx. Une personne clef de notre organisation souffre d'un cancer incurable et nous savons que vous pouvez la guérir.

— Qu'est-il arrivé à notre personnel de sécurité? questionna Amir.

— Malheureusement, il a dû être neutralisé.

La préposée, Maria, avait entre-temps déniché une trousse de premiers soins et s'approcha d'Amir.

— Laissez-moi faire, dit Tania, qui reprenait lentement le contrôle de ses émotions.

Elle entreprit alors de nettoyer et panser la blessure.

Il y avait des calmants dans la trousse de premiers soins, ce qui permit à Amir de s'endormir. Maria et le jeune homme se relayaient pour surveiller leurs passagers, une arme toujours à leur portée. Tania était calme. Elle comprenait que leur vie n'était pas en danger. Elle essaya d'engager la conversation avec ses ravisseurs, mais n'y réussit pas. Quelques heures après leur départ, Maria leur remit une boîte contenant un sandwich, un petit emballage de biscuits et une boisson gazeuse. À minuit trente, l'avion se posa quelque part dans le sud. Comme le vol s'était effectué tard et presque complètement au-dessus de l'océan, il était impossible de reconnaître le lieu d'arrivée.

On fit descendre Tania et Amir. Il faisait très chaud et humide. L'avion s'était immobilisé au bout d'une piste et on ne voyait qu'une série de bâtiments faiblement éclairés au loin. Un minibus vint les chercher et les conduisit tout près d'un gros avion à hélices stationné sur une piste secondaire. Une dizaine de personnes les attendaient, la plupart vêtus de vestes militaires et de jeans. Ils s'exprimaient en espagnol. Maria fit monter Tania et Amir à bord, puis tout le monde s'embarqua, les moteurs se mirent en marche et l'avion se prépara à décoller. Tania remarqua que le jeune homme au teint basané n'était plus là.

À bord, la lumière que dégageait Tania était l'objet d'une intense curiosité: assise près de l'allée centrale, à peu près au milieu de la cabine des passagers qui comptait une trentaine de sièges, les ravisseurs se relayaient pour venir l'observer de plus près, quelquefois lui toucher les mains. On parlait peu.

— Où allons-nous? demanda Amir après un certain temps.

Personne ne lui répondit. Tania demanda si des médicaments étaient disponibles, la blessure d'Amir le faisait souffrir. On lui remit un coffret contenant des calmants, des pansements et des désinfectants.

Amir dormit de nouveau, et Tania s'assoupit, somnola même pendant un certain temps. Curieusement, elle n'avait pas peur. Son intuition lui dictait de ne pas s'alarmer outre mesure.

L'avion se posa quelque part à 5 h 30 le matin. D'après les bâtiments, les enseignes et les panneaux d'indication en espagnol, Amir déduisit qu'on était en Amérique du Sud. Puis il remarqua un écusson surmonté d'un aigle aux ailes déployées et de l'inscription « Republica de Colombia » sur un véhicule stationné près du terminal, ainsi que le mot « Cali », avec en dessous « Aeroporto Alfonso Bonilla Aragon », illuminant le fronton du terminal.

Deux infirmiers poussant une civière sur roues, accompagnés de deux policiers, vinrent les prendre. On fit coucher Tania sur la civière et on l'enveloppa complètement. On entra dans le terminal par une petite porte réservée au personnel pour ensuite se diriger vers une salle marquée d'une croix rouge, probablement une petite infirmerie. Avisant une salle de toilette, Amir prétendit qu'il devait s'y rendre, indiquant par gestes qu'il ne pouvait attendre. Un des policiers lui ouvrit la porte et lui fit comprendre qu'il l'attendrait. Amir prit alors son passeport, le dissimula à l'intérieur du dispensateur de papier essuie-mains, tira la chasse d'eau, se lava et s'essuya les mains, puis ressortit. Le policier y entra alors et inspecta rapidement les lieux. Puis il fit signe à Amir de l'accompagner et les deux hommes se dirigèrent vers la petite infirmerie. Aucun contrôle n'avait été fait, aucun douanier ou inspecteur ne les avait interceptés.

Ils attendirent environ trente minutes. Puis ils ressortirent de l'infirmerie, Tania toujours couchée et enveloppée sur la civière. Empruntant le même chemin qu'à leur arrivée, ils quittèrent le terminal pour se diriger vers un hélicoptère stationné tout près.

Une demi-heure plus tard, l'hélicoptère atterrissait sur un patio dallé à proximité d'une superbe villa isolée dans les montagnes. On conduisit Tania et Amir dans un salon où les attendait une jeune femme élégamment vêtue.

— Bonjour, les accueillit-elle en anglais. Je suis Maria Carmela Esteban.

Puis, s'adressant à Tania:

— On m'avait dit que la lumière que vous dégagez était d'un éclat spectaculaire.

Elle marqua un temps d'arrêt et, tout en inspectant Tania, reprit:

— C'est vraiment exceptionnel.

Ni Tania ni Amir ne répliquèrent. Tania, en particulier, observait intensément tous les gestes de son hôtesse.

— Monsieur Sharouf, nous allons nous occuper de votre blessure immédiatement.

Elle s'approcha d'un appareil téléphonique, le décrocha et donna quelques instructions rapides. À peine quelques secondes plus tard, un homme d'âge mûr accompagné d'un garde armé vint chercher Amir.

— Madame Fixx, je sais que le voyage a été pénible et, croyez-moi, j'en suis désolée. Je suggère donc que vous vous reposiez jusqu'au dîner ce soir.

— Madame Esteban, où sommes-nous? Que se passe-t-il au juste? Qui êtes-vous? De quel droit nous a-t-on amenés jusqu'ici? demanda Tania, plus choquée qu'apeurée.

— Vous êtes chez moi, madame Fixx. Et votre collaboration garantira votre sécurité. Nous avons dû prendre les seuls moyens à notre disposition pour vous convaincre de venir jusqu'ici. Mon père est atteint d'un cancer incurable, madame Fixx, et vous êtes la seule personne qui peut le sauver.

Chapitre 13

Bernard Dunn apprit la disparition de Tania et d'Amir dès son réveil. L'avion nolisé devait revenir la veille avant la nuit et la firme de location, n'ayant aucune nouvelle, alerta le TTF au petit matin. Après vérification, on se rendit compte non seulement qu'il n'y avait aucune trace de l'avion, mais qu'aucune tempête ou écrasement n'avait été signalé. Bernard paniqua. La perte possible de Tania lui faisait l'effet d'un coup de masse dans le dos.

Réalisant que Tania était difficilement dissimulable, il décida de prévenir immédiatement les journaux et la télévision de sa disparition. La nouvelle ferait instantanément le tour du globe, et tout indice propice à signaler ou identifier un quelconque méfait serait rapporté.

Effectivement, la nouvelle fut aussitôt abondamment diffusée et commentée. Partout. On supposa un écrasement, un enlèvement, et même une fuite de Tania avec Amir, peut-être son amant.

Vers midi, des agents de la CIA entrèrent en contact avec Louise Kennedy et Bernard Dunn. Comme il n'y avait aucune autre information que ce qui avait été mentionné aux médias, ils n'apprirent rien de neuf. L'agence ne fit aucune mention de la piste qu'elle suivait déjà à Vancouver et qu'elle avait découverte après avoir perdu contact avec les agents affectés à la protection de Tania.

Ce silence dura deux jours.

Le troisième jour, le Mentor apprit que le passeport d'Amir Sharouf avait été retrouvé et remis aux autorités aéroportuaires de Cali, en Colombie, lesquelles l'avaient fait parvenir à l'ambassade américaine à Bogota. La police colombienne n'avait aucune idée de qui était cet Amir Sharouf et ne pouvait l'associer à Tania Fixx, mais l'ambassade américaine fit rapidement le lien. Le passeport retrouvé constituait un indice important sur la piste de la guérisseuse.

Le Mentor exigea un silence strict, le secret le plus absolu, espérant gagner quelques jours. Ce fut peine perdue. Le soir même, la planète entière savait que le passeport d'Amir Sharouf avait été retrouvé à Cali, en Colombie.

Après réflexion et consultation avec le Patron, le Mentor décida de cesser toute recherche. Il s'agissait probablement d'un enlèvement, avec deux possibilités de dénouement: ou bien Tania et Amir étaient déjà morts et toute tentative de recherche, voire de négociation ne mènerait à rien, ou encore ils étaient vivants et les ravisseurs demanderaient bientôt une rançon.

Bernard Dunn entra en communication avec l'ambassadeur américain à Bogota dès qu'il apprit la nouvelle concernant le passeport. L'ambassadeur ne put que confirmer ce que les médias avaient rapporté. Bernard insista pour avoir plus de détails: avait-on une idée des ravisseurs? Son interlocuteur lui répondit que les Forces Armées Révolutionnaires de Colombie, les FARC, étaient probablement hors de cause, car ce groupe restreignait ses opérations à l'intérieur du territoire colombien. Il soupçonnait plutôt un acte relié au trafic de stupéfiants, sans être en mesure de préciser davantage. Il renvoya Bernard à la Drug Enforcement Administration, la DEA, qui avait un bureau à Bogota.

À la DEA, le directeur de l'antenne locale avait déjà fait le lien entre l'enlèvement, le passeport et peut-être un cartel relié aux stupéfiants. Il révéla à Bernard que son bureau suivait de près les activités de trois réseaux de distribution, dont deux semblaient opérer à l'aide de petits bateaux et le troisième au moyen de contenants initialement acheminés vers le Mexique d'où ils atteignaient par la suite les ports de la côte ouest nord-américaine. Il promit à Bernard que ses enquêteurs, de concert avec les autorités policières colombiennes, se tiendraient aux aguets. Mais il fallait être patient.

∽

Il y avait cinq jours que Jesus Alonzo Esteban avait rencontré Tania pour la première fois. Il l'avait revue à chaque repas depuis cette première rencontre. C'était un homme charmant, au début de la soixantaine, soigné, élégant. Chaque matin, il s'enquérait de la santé d'Amir, de l'humeur de Tania, des activités qu'ils entrevoyaient pour la journée. Tout était fait pour que leur séjour soit le plus agréable possible, compte tenu des circonstances. Le domaine Esteban était vaste, immense même, et on pouvait y pratiquer plusieurs sports.

Toute demande d'explications de la part de Tania ou d'Amir restait cependant sans réponse ou était courtoisement remise à plus tard.

Jesus Alonzo Esteban était guéri, ses médecins l'avaient confirmé. Amir aussi s'était rétabli: on avait extirpé la balle de son épaule, et deux jours plus tard, à la grande surprise des médecins, la plaie était presque complètement cicatrisée.

Señor Esteban dirigeait un important cartel de production et de distribution de drogues dures et vivait constamment entouré de gardes du corps. Ses déplacements, peu fréquents, se limitaient aux offices religieux de l'église La Ermita, à Cali, et à des rencontres chez quelques amis. Catholique pratiquant, il était très près de monseigneur Gonzalvo Villegas, lequel fermait les yeux sur ses activités douteuses. Monseigneur Villegas officiait à La Ermita et savait que Jesus Esteban était atteint d'un cancer incurable.

Lorsqu'il apprit par des rumeurs que Jesus Esteban était guéri, il fit immédiatement le lien entre cette guérison, la disparition de Tania Fixx et d'Amir Sharouf, et le passeport retrouvé à l'aéroport de Cali.

L'office religieux du dimanche avait pris fin et monseigneur Villegas envoya un jeune servant de messe inviter Jesus Esteban à le rejoindre pour un café. Accompagné de sa fille et d'un garde du corps qu'il appelait son secrétaire, Jesus Esteban se présenta au presbytère, très alerte et joyeux.

Le café fut servi et la conversation tourna autour des derniers développements politiques locaux. Puis monseigneur Villegas changea de sujet:

— Vous avez sûrement appris la disparition de madame Fixx, Señor. Quel drame, n'est-ce pas? Cette jeune femme est peut-être une énigme scientifique, mais c'est surtout une bénédiction que le ciel nous a envoyée.

Jesus Esteban ne sourcilla pas.

— En effet, Gonzalvo. Quel événement malheureux! Mais je suis certain que cette situation saura trouver une fin heureuse.

Maria Carmela buvait son café, opinant de la tête.

— On me dit, *Señor* Jesus, que votre santé s'est améliorée dernièrement, ajouta le prêtre.

— Vous ne me croirez pas, Gonzalvo, mais on m'a annoncé que le cancer est en rémission. Maria Carmela et toute la maisonnée fêtent encore cette nouvelle!

— J'en suis tellement content, Jesus. Le Seigneur a parfois des voies qu'on ne peut prévoir.

Jesus Esteban prit congé. La conversation avait confirmé les soupçons de monseigneur Villegas: Jesus Esteban était atteint d'un cancer mortel et comme sa guérison était médicalement impossible, il avait fait enlever Tania Fixx. Celle-ci était chez lui.

Il avisa le cardinal de l'archidiocèse de Bogota de sa conclusion, lequel, compte tenu de la notoriété internationale de Tania Fixx et de son pouvoir miraculeux quasi divin, en référa à Rome.

Dès qu'il en fut informé, Pietro Gordini sentit que cette information, si elle s'avérait exacte, plaçait le Vatican et le Saint-Siège dans une position privilégiée. Son supérieur l'avait avisé de la nécessité de rallier Tania Fixx à la cause de l'Église par tous les moyens et l'occasion se présentait peut-être d'y arriver. Il fallait d'abord vérifier si les services de recherche américains en avaient déjà pris connaissance ou savaient ce qui se passait par leurs réseaux d'agents et d'informateurs. Si le Vatican était en avance sur eux, peut-être pouvait-il en retirer quelques avantages. Mais il fallait tout de suite mettre au point une stratégie. Gordini convoqua donc son supérieur d'urgence, le président du Conseil Pontifical Justice et Paix, et, à peine quelques heures plus tard, était en conciliabule avec lui.

— Voilà donc, monseigneur, où nous en sommes, conclut-il après avoir résumé les déductions que monseigneur Villegas avait transmises.

Le président était un cardinal romain, âgé, rodé aux interventions et manipulations politiques auxquelles Rome devait parfois souscrire. Il était derrière le dossier Tania Fixx depuis les premiers moments et l'étude qu'il avait commandée, bien qu'encore partielle, lui indiquait qu'il ne fallait pas laisser échapper madame Fixx. Très conservateur, il portait toujours une soutane noire et les ornements rouges de son titre. Il se leva, fit quelque pas en se frottant le front de sa main droite, puis s'arrêta devant la fenêtre qui donnait sur une petite cour intérieure. Après plusieurs secondes, il se tourna vers Pietro Gordini et se mit à réfléchir tout haut.

— Les Américains ne bougeront probablement pas. Ils n'ont pas intérêt à le faire, du moins jusqu'à ce que ce narcotrafiquant fasse un premier pas, ce qu'il ne fera sûrement pas tout de suite. Il laissera le temps passer.

Le cardinal fit encore quelques pas. Un plan intéressant se développait rapidement dans son esprit.

— Évidemment, nous ne pouvons qu'être le moteur d'une éventuelle action. Il faudra trouver un exécutant approprié, quelqu'un qui ne peut nous être associé.

Il se rassit enfin, gardant le silence quelque temps. Puis:

— Voici ce que nous allons faire, Pietro.

Il joignit les mains sur sa poitrine.

— Je vais d'abord devoir faire quelques vérifications auprès de la Curie. Pendant ce temps, vous pouvez effectuer quelques contacts préliminaires. Je crois que vous avez déjà rencontré Aldo Samboni?

— Vous voulez dire... monsieur Samboni... lié à la mafia?

— C'est une vieille connaissance, Pietro, mais il n'est pas nécessaire d'entrer dans ces détails. Ce n'est pas Aldo qui nous intéresse, c'est plutôt son frère Joseph, à New York.

Chapitre 14

L'enlèvement de Tania Fixx, à peine quelques jours après leur rencontre, bouleversa Yossef. Il s'était bien entendu avec elle et le personnel du TTF et, sans réellement se l'avouer, aurait bien aimé approfondir un peu plus sa relation avec elle. Même, l'approfondir de façon très intense. Ce drame mettait aussi en danger le plan qu'ils avaient conçu. Un délai de quelques mois seulement avait été fixé pour en mettre au point les détails, et le travail requis ne pourrait sans doute pas se réaliser si Tania restait introuvable.

L'une des premières étapes du plan consistait à s'assurer de la collaboration continue du gouvernement tunisien. Comme cette étape était réalisable même si le TTF était temporairement sur la touche, Yossef entra en contact rapidement avec Zine Chikri, le ministre des Affaires religieuses. Après lui avoir relaté sa visite à Boston et ses pourparlers avec le TTF quelques jours à peine avant l'enlèvement de Tania Fixx, il lui avait rapidement esquissé la nature de l'entente à laquelle en étaient arrivés l'Agneau lumineux de Dieu et le TTF.

La réaction du ministre Chikri fut mitigée. Politiquement, il était certain qu'un programme de nature plus ou moins religieuse, même s'il débordait des frontières de la république, ne nuirait pas à l'État. Il serait de toute façon facile de s'adapter aux événements. Sur le plan scientifique, la nature incompréhensible du phénomène de luminosité et ses effets avaient déjà été débattus mondialement, et ni la Tunisie ni aucun autre État ou gouvernement n'avait le monopole sur les travaux qui y étaient reliés. Religieusement par contre, il pourrait y avoir danger.

Yossef demandait que l'Agneau lumineux de Dieu soit non seulement toléré, mais soutenu ouvertement par le ministère des Affaires religieuses à titre de regroupement avant-gardiste et officiellement reconnu par la faction sunnite de l'islam, laquelle ralliait la presque totalité de la population. Une telle attitude risquait de s'aliéner non seulement l'aile traditionnelle de la communauté religieuse sunnite, mais toutes les autres communautés islamiques. Il fallait donc en référer au Conseil des ministres.

Le ministre Chikri inscrivit le sujet à l'ordre du jour de la réunion prévue pour la semaine suivante.

À cette réunion, le Conseil adopta une position neutre. Yossef demandait en fait une modification de la Constitution, ce qui était impossible. Mais sous le terme « islam », la république pourrait légitimer des pratiques renouvelées de la foi, sans les décrire. Cette « tolérance » ouvrirait la porte à la mise sur pied de lieux de culte de l'Agneau lumineux de Dieu dans tout le pays.

Le ministre Chikri rapporta cette décision à Yossef, qui, surpris de la rapidité avec laquelle cette position avait été adoptée, lui demanda:

— Cela veut-il dire, monsieur Chikri, que l'agneau pourra bientôt dispenser sa lumière dans des mosquées?

— N'allons pas trop vite, Yossef. Il s'agit d'une recommandation qui doit être adoptée par la Chambre des députés. Cela peut prendre un certain temps. Il s'agit d'une modification à l'application d'une loi, ce qui nécessite un débat.

— J'en suis parfaitement conscient, monsieur Chikri. J'aurais dû plutôt demander si nous pouvions dès maintenant commencer à chercher des locaux appropriés.

— Soyons patients, Yossef. Vous y gagnerez. Le ministère a déjà mis certaines personnes au courant et dès que le vote de la Chambre sera connu, ce sur quoi nous travaillons aussi, ajouta-t-il avec un sourire, vous serez surpris des résultats de nos démarches. Je ne veux pas vous en dire plus pour l'instant.

Yossef comprit tout de suite que Zine Chikri et son ministère travaillait déjà à la réalisation de la première étape du plan.

Depuis l'emménagement dans les nouvelles installations d'Oued Ellil et, surtout, le cérémonial de simple communion qui faisait d'un visiteur sérieux un adepte de l'Agneau lumineux de Dieu sans autre devoir que celui de lire le *Petit Livre,* le mouvement avait pris une ampleur telle que les services offerts n'arrivaient plus à répondre à la demande.

De longues files d'attente se mettaient en place chaque jour, peuplées de gens désireux de voir l'agneau et de s'en approcher pour bénéficier de son rayonnement. Cela créait souvent de la confusion, du désordre, et tout effort visant à alléger l'attente de malades à mobilité réduite contribuait à aggraver la situation. Yossef et les gestionnaires de la Maison de l'Agneau, comme on appelait maintenant l'installation d'Oued Ellil, étudiaient la possibilité de contingenter l'accès à l'agneau, par exemple en ne l'exposant que durant des périodes bien précises, qui pourraient coïncider avec des fêtes, religieuses ou non.

On décida d'attendre les résultats des démarches entreprises auprès du ministère des Affaires religieuses avant de pousser cette hypothèse plus loin.

Yossef surveillait aussi les travaux d'Ali et d'Omar. Ali, particulièrement, avait développé au Caire une approche ingénieuse qui facilitait la sensibilisation des gens au mouvement. Il avait institué la « Petite Prière du Vendredi », une rencontre d'à peine trente minutes après les heures de travail. Le cérémonial, très simple, se limitait à un court rappel de l'existence de l'Agneau lumineux de Dieu et de sa mission, suivi de la lecture de quelques versets du *Petit Livre.* C'était tout. Les adeptes qui avaient communié étaient invités à emmener des amis, des membres de leur famille à la prochaine rencontre. La communion pouvait avoir lieu n'importe quand et n'importe où, selon les disponibilités de chacun.

Omar, par contre, avait essuyé un échec. Installé à Riyad, il avait tenté de distribuer le *Petit Livre* à la sortie des mosquées et avait été mis en état d'arrestation par les autorités. On l'avait informé qu'aucune manifestation ou tentative d'implantation d'une secte religieuse n'était tolérée, et on l'avait menacé d'emprisonnement et de jugement d'apostasie pouvant entraîner la peine de mort en cas de récidive.

Pour sa sécurité, Yossef le rappela donc en Tunisie.

Chapitre 15

Pietro Gordini obéissait aveuglément aux ordres et aux directives de ses supérieurs. Il ne prenait nullement en compte les conséquences de leurs demandes sur sa propre vie ni leurs retombées possibles sur d'autres. Tous les moyens étaient bons pour arriver à ses fins. Il était donc entré en communication avec Joseph « Jos » Samboni par l'entremise de son frère, Aldo Samboni, lequel s'était d'ailleurs montré fort empressé de satisfaire sa requête dès qu'il sut de qui elle provenait. Lorsque Pietro lui indiqua la nature confidentielle de la rencontre projetée et le fait qu'il était tout à fait disposé à se rendre à New York, Jos Samboni, jugeant rapidement qu'il ne pouvait y avoir de mal à recevoir un représentant du Vatican, lui proposa un lunch trois jours plus tard.

Jos Samboni avait choisi un petit restaurant du quartier italien. Lorsque Pietro s'y présenta, on lui signala que monsieur Samboni l'attendait déjà et on le dirigea vers une petite table dressée pour deux personnes, au fond de l'établissement. Jos Samboni était un petit homme de soixante ans aux cheveux poivre et sel rejetés vers l'arrière, grassouillet, vêtu d'un costume rayé, gris foncé. Les tables voisines étaient occupées par quelques hommes qui conversaient ensemble. Toutes les autres tables étaient libres.

Pietro, qui portait toujours son col romain, fut chaleureusement accueilli, Samboni lui versant même un verre de vin. Ils échangèrent d'abord des banalités. Ils mangèrent quelques antipasti, puis un plat de pâtes fut servi. Samboni demanda alors:

— Vous connaissez bien mon frère, monsieur Gordini?

— Très peu, monsieur. Mais il a ses entrées au Vatican, comme vous le savez sûrement.

— Ah!

— Le Conseil Pontifical Justice et Paix, l'organisation dont je fais partie, monsieur Samboni, s'intéresse au cas de madame Tania Fixx.

— Un cas incompréhensible, l'interrompit Samboni.

— Tout à fait. Son enlèvement a surpris et demeure, lui aussi, incompréhensible.

— Elle est en Colombie, monsieur Gordini, vous le savez bien. Le passeport de son garde du corps a été retrouvé dans une salle de toilette de l'aéroport de Cali.

— C'est ce que nous avons appris.

Pietro prit une gorgée de vin et Samboni ingurgita une fourchetée de pâtes.

— Plus précisément, nous savons exactement où elle se trouve, reprit Pietro.

Jos Samboni le regarda brièvement et continua à manger.

— Elle est entre les mains de Jesus Alonzo Esteban, monsieur Samboni.

Ce dernier posa calmement sa fourchette sur la table, prit un peu de vin et demanda candidement:

— Le Vatican connaît Jesus Esteban, monsieur Gordini?

— Évidemment non. Mais vous, vous le connaissez, je crois.

Samboni reprit sa fourchette et se remit à manger. Comme il ne répondait pas, Pietro continua:

— Notre service, après enquête, a appris que vos opérations dépendent en bonne partie des approvisionnements provenant du cartel Esteban.

Pas de réponse. Après un moment, Pietro ajouta:

— Nous avons besoin d'aide, monsieur Samboni, et nous sommes prêts à vous proposer une transaction.

Samboni reposa sa fourchette sur la table, se redressa et se cala confortablement dans sa chaise.

— Une transaction?

Pietro se rapprocha un peu de la table.

— Je vous explique notre position. Nous croyons que Jesus Esteban a été guéri par Tania Fixx. Ce dernier, cependant, ne la laissera pas partir. S'il le fait, ce ne sera pas avant que l'agitation entourant son enlèvement se soit calmée. Ce qui peut être long. Esteban n'est pas pressé de toute façon et il se croit à l'abri de toute intervention des autorités américaines.

Pietro prit un peu de vin.

— Et il a raison, monsieur Samboni. Les autorités américaines n'entreprendront rien. Or, Tania Fixx représente un cas intéressant pour nous. Pour nos services de recherches médicales, entre autres, de même que pour nos services reliés aux aspects miraculeux de certaines manifestations. Bref, le Vatican et le Saint-Siège aimeraient lui venir en aide.

— Le pape est-il malade, monsieur Gordini?

Pietro éclata de rire.

— Mais non, je vous assure.

— Si ce n'est pas le pape, c'est quelqu'un d'important au Vatican? Ou quelqu'un d'important envers qui le Vatican a une dette?

— Ce n'est pas une question de guérison, monsieur. Ce n'est pas la raison qui nous motive, vraiment.

— Qu'est-ce qui vous motive, alors?

Pietro prit encore un peu de vin. Il considéra Jos Samboni un instant, puis répondit:

— Tania Fixx représente un outil que le Saint-Siège pourrait utiliser.

Samboni prit la serviette de table posée sur ses genoux et s'essuya lentement la bouche et les mains. Il la replia et la posa près de son assiette. Il attendait.

— Voici ce que nous avons en tête, continua Pietro. Nous pensons que Jesus Esteban serait heureux de vous recevoir chez lui si vous étiez de passage en Colombie. Vous seriez mieux reçu si, par exemple, vous lui laissiez entendre que vous avez une proposition intéressante pour lui.

Le fait que vous vous déplaciez personnellement pour le rencontrer ne pourrait que le flatter.

Samboni l'écoutait attentivement.

— Vous lui proposeriez ceci: en échange de Tania Fixx et de son garde du corps, vous lui achetez l'équivalent d'une provision annuelle des produits que vous utilisez au double du prix qu'il vous demande habituellement.

Samboni ne broncha pas.

— Vous ramèneriez Tania Fixx et son garde du corps avec vous. En retour, nous vous rembourserions la totalité de la somme versée à Esteban.

Samboni prit la bouteille de vin, en versa à Pietro, et comme elle était presque vide, vida le reste dans son verre. Il la reposa au milieu de la table et attendit.

— Nous estimons que cela représente environ cinquante millions de dollars, monsieur Samboni. Nous vous avancerons la moitié de cette somme à votre départ pour la Colombie. Le solde vous sera versé dès que madame Fixx nous sera remise, selon des modalités tenant compte des démarches exactes que nous aurons convenu afin d'assurer la sécurité de madame Fixx.

Tous deux prirent un peu de vin. Comme Samboni attendait toujours, Pietro décida d'attendre lui aussi. Après un moment, Samboni prit la parole.

— C'est une offre que je ne puis refuser, si vous me permettez cette formule classique, dit-il en riant.

Et il ajouta:

— C'est très alléchant. Surtout lorsqu'on y ajoute la valeur au détail des produits en question, comme vous les appelez. Vos services ont sûrement réalisé qu'on parle ici d'une transaction qui vaut au-delà de cinq cents millions de dollars.

Pietro acquiesça de la tête.

— J'accepte, dit Samboni. Quel est le délai d'exécution?

— Il faut agir le plus rapidement possible.

— Laissez-moi quelques jours, monsieur Gordini. J'entrerai en contact avec vous.

— Toute cette affaire est de la plus haute confidentialité, vous le réalisez bien, n'est-ce pas ? dit Pietro.

Tania Fixx avait tout d'abord mal accepté son enlèvement et sa mise en captivité chez Jesus Esteban. Elle s'en était ouverte à Amir, qui, plus calme et mieux préparé à ce genre de situation, l'avait rassurée, lui faisant comprendre que de toute façon il n'y avait pour le moment rien à faire; la CIA et Bernard étaient sûrement en train de concocter des plans qui leur permettraient de les sortir de cette impasse.

Tania avait dû pourtant s'habituer à son nouvel environnement et essayait de profiter des multiples possibilités de loisir qu'offrait le domaine Esteban. Cela lui donna la possibilité de réfléchir. Curieusement, elle était heureuse de la guérison de Jesus Esteban. Cette propension à vouloir aider était innée chez elle. D'ailleurs, Robert l'appelait souvent Mère Tania Teresa.

Elle s'était rapprochée de la fille de Jesus Esteban, Maria Carmela, qui lui avait fourni les vêtements et accessoires qui lui manquaient. Ensemble, elles conversaient sur la vie, sa vie bien sûr qui fascinait Maria Carmela, la religion, la politique, l'avenir surtout. Maria Carmela parlait toujours comme si Tania reprendrait sa liberté sous peu.

Tel qu'elles le faisaient souvent le matin, toutes deux se promenaient ensemble dans les jardins de la villa. Même si le soleil de Colombie atténuait la lumière que dégageait Tania, celle-ci, en short et chandail léger, resplendissait aux côtés de sa compagne de marche.

— Dis-moi Tania, t'es-tu blessée depuis ton... accident, comme tu appelles le coma dans lequel tu es tombée ?

— Non.

— Et si tu te blessais gravement, qu'arriverait-il ? Crois-tu que tes pouvoirs de guérison s'appliqueraient à toi-même ?

— J'y ai souvent pensé, vois-tu. Mais vraiment je n'ai pas de réponse.

— Tania, réalises-tu que rien ne peut t'arriver ? Toute une vie sans maladies, sans blessures !

— C'est une possibilité, Maria Carmela. Je me dis souvent que c'est un cadeau de la nature, qui en retour me demande de redonner la santé aux autres. Que je le veuille ou non, ce sera l'histoire de ma vie.

— Crois-tu que tu vas vieillir, Tania?

La question n'était pas stupide. Tania y avait souvent réfléchi.

Chapitre 16

Jos Samboni ne prenait jamais de vols commerciaux pour ses déplacements. Aux États-Unis, il nolisait un hélicoptère pour des trajets d'une heure ou moins, ou un petit jet pour les plus longs vols à l'intérieur du pays. Lorsqu'il devait quitter les États-Unis, il préférait un avion plus confortable et, comme il se déplaçait avec une petite escorte, il louait un jet de taille moyenne pouvant accommoder une dizaine de personnes.

Les préparatifs de son séjour en Colombie avaient nécessité trois semaines. Le plus difficile avait été d'obtenir des détails sur Jesus Esteban et d'organiser la rencontre. On avait obtenu confirmation qu'Esteban était effectivement guéri d'un cancer en phase terminale. Méfiant, Esteban avait prétexté toutes sortes de contraintes pour retarder le meeting. Samboni avait dû finalement lui laisser savoir que le but de sa visite était de négocier une entente de partenariat portant sur la plus grande partie de sa production annuelle, ce qui justifiait qu'il se déplace lui-même; il espérait d'ailleurs passer quelques jours avec lui.

Samboni et son escorte, soit une secrétaire, un avocat et deux gardes personnels, atterrirent à Cali en fin d'après-midi. Ils se disaient d'une société américaine d'importation de café en voyage d'exploration afin de dénicher des fournisseurs colombiens. Après avoir franchi les contrôles douaniers, ils se rendirent à l'hôtel Intercontinental où des chambres avaient été réservées pour la nuit.

Samboni contacta Jesus Esteban durant le dîner, lequel l'informa qu'il enverrait son chauffeur les prendre à l'hôtel vers 10 h 30 le lendemain matin et les conduirait à l'aéroport où son hélicoptère les attendrait.

À midi le lendemain, ils étaient au domaine Esteban. Une jeune femme demanda aux gardes personnels de la suivre et une deuxième conduisit Jos, sa secrétaire et son avocat à la villa.

Jesus Esteban les attendait au salon, très chic dans un costume d'été de teinte crème, accompagné de sa fille et de son secrétaire, en fait un garde du corps.

On fit les présentations, on échangea des compliments. Samboni avait apporté un cadeau, un excellent cognac, qui sembla faire grand plaisir à Esteban. Ce dernier les conduisit sur une terrasse où, tout en échangeant des banalités et en commentant quelques nouvelles internationales, on prit l'apéritif.

Puis Esteban les invita à table. Il était 14 h et il y avait déjà plus d'une heure qu'ils étaient arrivés. Après le potage, Esteban en vint au vif de la rencontre.

— Vos opérations se sont-elles étendues dernièrement, monsieur Samboni?

— Notre famille a consolidé des ententes avec des fournisseurs d'autres régions des États-Unis, monsieur Esteban.

— Ah bon!

— Mais peut-être pouvons-nous parler plus franchement.

Esteban releva la tête.

— Monsieur Esteban, nous savons que vous étiez atteint d'un cancer incurable jusqu'à très récemment. Un cancer du foie, je crois.

Il fit une pause, regardant Jesus Esteban dans les yeux. Puis il enchaîna:

— Nous avons appris que ce cancer était en rémission. Plus précisément, nous savons que vous êtes guéri.

— C'est exact, monsieur Samboni. Mais... qu'est-ce que cela vient faire dans nos discussions?

— J'y arrive. La guérison de ce cancer est due à Tania Fixx, n'est-ce pas?

Esteban regarda sa fille, qui se leva et quitta la pièce. Après un moment, il afficha un large sourire et dit:

— Vos services de renseignements sont efficaces. Effectivement, nous avons pris la liberté d'emmener madame Fixx ici. En fait, je crois bien que vous n'êtes pas le seul à être arrivé à cette conclusion. Nous nous attendons à des représentations imminentes à ce sujet.

— Jesus... je peux vous appeler Jesus, n'est-ce pas?

Esteban acquiesça avec un sourire.

— Jesus, que comptez-vous faire de Tania Fixx?

Esteban prit quelques secondes avant de répondre.

— En toute franchise, Joseph, je ne comptais pas la garder ici.

Esteban attendit que le service du plat principal soit terminé et continua:

— Nos rebelles locaux, les FARC, aimeraient bien en tirer une rançon.

Le silence se fit et on en profita pour goûter au plat qui venait d'être servi. Le conseiller de Samboni et le secrétaire d'Esteban échangèrent quelques mots.

Jos Samboni exposa alors la vraie raison de sa visite.

— Jesus, je suis personnellement intéressé à Tania Fixx.

Il laissa son hôte assimiler cette information.

— Personnellement? demanda Esteban.

— Personnellement.

Samboni attendit pour bien signaler l'importance de sa demande. Esteban jaugeait rapidement les possibilités qui s'offraient à lui. Il savait bien que Samboni et sa famille, dont les opérations couvraient une bonne partie de l'Italie et de l'est des États-Unis, ne toléreraient pas un refus sans raison majeure. De plus, toute mésentente mettrait financièrement en péril le cartel lui-même. Or, de raison majeure il n'avait pas. Il fallait donc négocier l'affaire afin de s'en tirer le plus avantageusement possible.

Samboni reprit:

— J'aimerais vous faire une offre, Jesus.

— Je vous écoute.

Il fit signe à sa secrétaire, qui lui remit un cahier de notes. Il l'ouvrit.

— Nous vous achetons pour environ vingt millions de dollars par année de divers produits, Jesus. Je ne crois pas qu'il soit nécessaire de les énumérer. Nous prévoyons que la demande augmentant, nos achats devraient se situer à approximativement vingt-cinq millions de dollars pour les douze prochains mois. Nos achats se font à tous les trimestres pour des raisons que vous comprenez sûrement. Nos paiements sont exécutés par transfert bancaire dans vos comptes suisses.

Il referma le cahier et le posa sur la table.

— Voici ce que ma famille vous propose. Nous vous achetons une provision d'un an de produits immédiatement, soit d'un seul coup. Cela représente vingt-cinq millions de dollars d'entrées de fonds.

Samboni fit une pause, repoussa son assiette et se joignit les mains sur la table.

— Mais au lieu de vingt-cinq millions, nous vous en versons cinquante millions et nous repartons avec madame Fixx. Et Amir Sharouf.

Esteban prit au moins une minute avant de réagir. Il buvait du vin, lentement.

— C'est très alléchant, Joseph, finit-il par dire. Dites-moi réellement, qui est l'acheteur ? L'acheteur de Tania Fixx, j'entends.

— Ma famille a besoin de Tania Fixx, Jesus. En Italie.

— Et quand pensez-vous effectuer cette transaction ?

— Immédiatement, tandis que je suis ici. Nous vous paierons vingt-cinq millions à mon départ, accompagnés de Tania Fixx et Amir Sharouf, et vingt-cinq millions à la livraison de la marchandise, tel que nous le faisons habituellement.

Esteban s'alluma une cigarette et en prit plusieurs bouffées, réfléchissant. Il réalisait que l'offre ne pouvait être refusée. Joseph Samboni avait sûrement des motifs ou des partenaires qu'il ne révélait pas, mais à toutes fins utiles il le débarrassait d'un problème. Maintenant qu'il était guéri, Tania Fixx était un fardeau et à moins de la faire disparaître, ce qu'il ne désirait pas réellement, il n'avait pas encore envisagé comment la faire partir.

— J'accepte votre proposition, dit-il en lui tendant la main.

— Merci, lui dit Samboni en lui serrant la main.

Puis :

— Votre invitation pour la nuit tient-elle toujours, Jesus ? Cela permettrait à Brian – il se tourna vers son conseiller juridique –, et à votre personnel de mettre au point les détails de cette entente et la logistique de retour de madame Fixx. Et d'Amir Sharouf.

— Mais évidemment, voyons. Nous avions d'ailleurs organisé quelques activités pour vous et vos employés, Joseph.

— J'ai une autre demande. J'aimerais rencontrer madame Fixx ce soir.

Esteban ne montra aucune surprise.

— Je vais faire en sorte que vous puissiez la voir en tête-à-tête après le dîner.

Tania et Maria Carmela terminaient leur repas. Il était 20 h et Tania, prétextant une légère fatigue après son après-midi de natation et de tennis, demanda à se retirer dans sa chambre.

— Nous avons un visiteur qui désire te rencontrer, lui dit Maria Carmela. C'est un Américain.

— Qui est-ce?

— Il est préférable qu'il te le dise lui-même.

— Il est venu ici pour moi?

— Oui, Tania, en quelque sorte. En fait, tu repartiras probablement avec lui.

— Vraiment? demanda Tania, incrédule.

— Oui. Viens, il t'attend depuis déjà un bon moment au salon.

Joseph Samboni se leva d'un bond lorsqu'il aperçut Tania. Le soir tombait et le salon n'était que faiblement éclairé. En short, bras et jambes nues, Tania illuminait doucement tout autour d'elle. Elle s'avança rapidement vers lui.

— Je suis Tania Fixx, dit-elle en lui tendant la main.

— Extraordinaire! dit seulement Joseph.

Il restait là, sans bouger. Tania retira sa main et attendit. Finalement, Jos Samboni se rassit en lui disant:

— Excusez-moi, madame Fixx, je ne m'attendais pas à ça. Asseyez-vous, je vous en prie.

Elle prit place dans le fauteuil placé en diagonale, à droite de Samboni. Celui-ci continuait à la détailler de haut en bas. Tania, habituée à ce type de comportement, attendait patiemment que cet examen se termine. Finalement, Joseph prit la parole.

— Vous m'avez surpris, madame Fixx. Encore une fois, mes excuses. Je m'appelle Joseph Samboni. Jos, en fait. Monsieur Esteban et moi nous sommes entendus pour vous faire sortir d'ici, madame. Vous et monsieur Sharouf, bien sûr.

— Faites-vous partie du gouvernement américain, monsieur Samboni?

— Jos, madame, je vous en prie. Non. Je représente des intérêts privés.

— Lesquels?

— Je ne puis vous le révéler pour l'instant.

— Vous a-t-on demandé une rançon?

— Nous avons pris des arrangements qui conviennent aux deux parties.

— Dois-je vous remercier ou sommes-nous devant une situation d'échange de services?

— Non, madame.

— Non?

— L'exercice de vos pouvoirs n'est pas la raison de notre... entente, disons. Mais oui, vous pouvez me remercier, dit Samboni avec un sourire.

— Quand partons-nous?

— Demain, madame. Aussitôt que nos conseillers auront mis au point les détails de l'entente.

— Devez-vous me ramener à Boston?

— Nous discuterons de cela en route, madame. Contentons-nous pour l'instant de pouvoir quitter le domaine Esteban tel que prévu, demain.

Tania était surprise mais calme. Elle sentait que quelque chose clochait. Jos Samboni avait peut-être l'apparence d'un homme d'affaires important, mais elle avait l'impression qu'il lui cachait la vraie raison de sa présence. Elle demanda alors en se levant:

— Est-ce tout, monsieur?

Le départ de la villa Esteban se fit à 4h le lendemain matin, en pleine obscurité. Deux voitures avaient été mises à la disposition des visiteurs. Samboni, accompagné d'un de ses gardes personnels et de sa secrétaire, avaient pris place dans la première, tandis que Tania, Amir et le deuxième garde personnel de Samboni occupaient la deuxième. À la demande de Samboni, il avait été décidé de se rendre d'abord à une église locale, d'où ils pourraient repartir sans que Jesus Esteban soit mis en cause. Ce dernier avait immédiatement pensé à son ami l'évêque Villegas, de Cali. Il savait que Villegas était au courant de la présence de Tania chez lui et qu'il accepterait d'agir d'intermédiaire dans sa remise en liberté. Villegas s'était empressé d'accepter.

Le trajet vers Cali fut sans histoire et on arriva à l'église aux petites heures du matin. Le jour n'était pas encore complètement levé et les rues étaient désertes. Tania, Amir et un des gardes du corps entrèrent rapidement dans le presbytère, suivis de Samboni et de son personnel qui transportait les bagages. Les deux voitures repartirent immédiatement.

Ils furent immédiatement conduits au salon, où l'évêque Villegas les attendait. Il était accompagné de Pietro Gordini. Tania ne put réprimer un mouvement de surprise.

— Monsieur Gordini ? s'écria-t-elle.

— Monsieur Esteban nous a facilité le travail, répondit Pietro. Nous n'avions pas espéré vous retrouver ici aussi rapidement. Monseigneur Villegas a prévenu les curés des paroisses avoisinantes de la possibilité d'une visite surprise de votre part. En toute discrétion, cela va de soi.

Samboni prit la parole.

— Monsieur Gordini, je crois que ceci conclut l'entente que nous avions. Nous allons donc retourner à notre hôtel si vous n'y voyez pas d'inconvénients.

Il salua monseigneur Villegas, Tania et Amir, puis, suivi de Pietro, de sa secrétaire et de ses gardes personnels, se dirigea vers la sortie.

— La somme prévue sera portée à votre compte cet après-midi même, monsieur Samboni, souffla Pietro en leur ouvrant la porte.

Il revint au salon. Tania était debout, confuse, encore totalement surprise par la présence de Gordini.

— Je ne comprends pas, monsieur Gordini. Que faites-vous ici ?

— Vous devez remercier monseigneur Villegas, madame Fixx. C'est un bon ami de Jesus Esteban. Lorsqu'il a appris sa guérison, il lui a été facile de comprendre ce qui se passait. Il en a avisé son supérieur à Bogota, qui à son tour a demandé conseil au Vatican.

Amir, qui se tenait près de Tania, l'interrompit:

— Où sont les agents américains?

— Il n'y a aucun agent américain, monsieur Sharouf. Nous avons dû agir avec les moyens à notre disposition.

Pietro ne mentionna pas que son plan initial d'enlever Tania et de la ramener illico au Vatican avait été refusé par son supérieur, qui lui avait plutôt suggéré d'utiliser l'ambassade américaine. D'autres occasions se présenteraient d'attirer Tania au Vatican. Il se tourna vers Tania.

— Du moins jusqu'à cette étape-ci de votre retour, madame Fixx. Monseigneur Villegas va maintenant vous remettre entre les mains de l'ambassade américaine à Bogota. Le trajet se fera en voiture et comme le trajet représente à peu près quatre cents kilomètres, vous devez partir rapidement.

— Monsieur Gordini, demanda encore Tania, je sais que monsieur Samboni a payé une rançon. Amir m'a informé que Jos Samboni est un influent personnage de la mafia de New York. Et il vient de partir. Sans doute parce que son travail est terminé? C'est ça?

— Oui, madame Fixx.

— Vraiment, monsieur, les voies de l'Église me surprennent!

— La cause justifie souvent les moyens, madame.

Monseigneur Villegas et ses passagers arrivèrent à Bogota au milieu de l'après-midi à bord d'une voiture aux vitres teintées, protégeant Tania des regards. Un lunch avait été préparé et on avait mangé en route.

À l'ambassade américaine, Tania put enfin sortir sans se dissimuler. On la reconnut immédiatement et elle fut entourée, tous voulant lui parler, la toucher.

Monseigneur Villegas remit officiellement Tania et Amir à l'ambassadeur lui-même, expliquant rapidement que des inconnus les avaient conduits chez lui.

À peine dix minutes après leur arrivée, les journaux et la télévision étaient sur place.

Chapitre 17

Yossef apprit dès son réveil que Tania avait été remise à l'ambassade américaine de Bogota. Il appela Bernard Dunn à Boston pour le féliciter de cet heureux dénouement et fut surpris de constater que celui-ci n'avait pas plus d'informations sur la libération de Tania. Mais tous deux étaient soulagés et heureux, et ne se lassaient pas de le mentionner.

Il fut évidemment question du programme d'action conjointe et Yossef en profita pour signaler que l'étape préliminaire était en voie d'exécution et serait complétée sous peu. En fait, il attendait encore que le ministre Zine Chikri lui revienne avec des informations sur les discussions et le vote de la Chambre des députés à Tunis.

Yossef devait aller rejoindre Ali au Caire, avec l'agneau. Cette décision n'avait pas été facile. Omar s'y était violemment opposé, brandissant comme arguments l'attentat qui avait tué le prince et Mossul, de même que l'enlèvement de Tania Fixx. Mais l'Agneau lumineux de Dieu ne pouvait prétendre prêcher l'universalité de son renouveau sans faire bénéficier ses adeptes de l'agneau lui-même, le dispensateur de guérison physique et, par analogie, de guérison morale, la voie vers le renouveau de l'islam.

Devant la fermeté de Yossef, Omar s'était fâché et un froid était né, qui ne se régla qu'après des pressions de membres influents du mouvement. Selon eux, Yossef avait raison: Ali avait réussi à créer une quasi-filiale égyptienne de l'Agneau lumineux de Dieu. Son concept de Petite Prière du Vendredi avait porté fruit, amenant des centaines de communions, sans compter un nombre encore plus considérable de sympathisants. Comme le mouvement tirait son origine de l'agneau lumineux et de ses pouvoirs, la présence de l'agneau auprès des adeptes était jugée indispensable.

Le voyage vers le Caire représentait un problème. La distance à parcourir, plus de deux mille kilomètres, et le court séjour prévu, au plus quelques jours, exigeait un transport aérien. Finalement, on put louer un avion d'une quinzaine de places, un vieux Learjet, qui appartenait à un homme d'affaires sensible au message de l'Agneau lumineux de Dieu. Ainsi, tout se réglait.

Embarquèrent en début de soirée quelques jours plus tard, Yossef, l'agneau dans une litière appropriée, quatre employés de soutien et quatre gardes de sécurité. C'était un mercredi. Le trajet, d'un peu plus de trois heures, fut agréable et permit aux passagers de se détendre. À l'arrivée, les autorités aéroportuaires, prévenues, avaient pris des mesures pour que l'agneau ne soit pas exposé à la foule. Ali les attendait. Un fourgon et deux voitures avaient été loués, et une petite villa avec garage, située en banlieue, avait été empruntée à un adepte pour loger les visiteurs durant leur séjour.

Ali avait annoncé la visite prochaine de l'agneau lumineux sans en préciser le moment exact. Le lendemain, jeudi, il fit circuler la nouvelle que l'agneau serait présent à la Petite Prière du lendemain, laquelle, comme c'était l'habitude, devait avoir lieu dans le sous-sol d'une école privée du quartier Bab El-Louk.

La Petite Prière réunissait les adeptes après le travail, à 18 h. On emmena l'agneau emmitouflé dans une couverture vers 16 h. Il y avait déjà foule: au moins deux cents personnes s'étaient massées à la porte du local située dans la cour arrière de l'école, certaines en fauteuil roulant. L'arrivée de l'agneau ne passa pas inaperçue et donna lieu à des bousculades, blessant légèrement quelques malades dans le groupe. Les quatre gardiens de sécurité et les employés de soutien réussirent finalement à franchir la porte de la salle, devant laquelle on posta deux gardes de sécurité armés.

On ouvrit la porte à 18 h. Au moins cinq cents personnes attendaient dans la cour. Comme la salle ne contenait que trois cent cinquante chaises, il y aurait du monde debout. L'agneau était sur une estrade qu'on avait rapidement dressée à l'aide de feuilles de contreplaqué. Il resplendissait. Yossef et Ali, vêtus de robes blanches, étaient postés de chaque côté de l'estrade, surveillés par deux des gardes de sécurité. Les employés de soutien, vêtus de robes bleues, faisaient entrer les gens dans la salle. Tout se faisait dans le calme, sans confusion. La présence de l'agneau lumineux sur l'estrade attirait immédiatement l'attention et imposait le silence. Quand tout le monde fut entré, on referma la porte, devant laquelle on replaça les gardes armés.

Sans plus attendre, Ali prit la parole.

— Mes amis, bienvenue dans la Maison de l'Agneau, une bien humble maison, comme vous le voyez. Notre prière aujourd'hui sera conduite par notre chef Yossef Al-Idrissi que je vous présente sans plus tarder.

Ali se tourna vers Yossef et l'invita de la main à s'avancer.

— Qu'Allah vous bénisse, mes frères, et qu'Allah bénisse l'Agneau lumineux de Dieu, commença Yossef en joignant les mains sur sa poitrine et en se prosternant légèrement.

— Je sais que tous ici désirent bénéficier de la lumière de l'agneau. C'est le but de notre visite, comme vous le savez. Vous êtes nombreux, ce qui je le crains allongera le temps de prière ce soir. Avant de procéder cependant, et aussi de mieux vous préparer spirituellement, je voudrais lire avec vous les énoncés onze à quatorze du *Petit Livre.* J'invite ceux et celles parmi vous qui possèdent le *Petit Livre* de lire avec moi.

Il prit le *Petit Livre,* l'ouvrit, se recueillit un moment, puis d'une voix claire commença la lecture, lentement:

« Énoncé 11: *Nous sommes tous des messagers de Dieu et des témoins de Dieu.* »

Il marqua une pause.

« Énoncé 12: *Le chemin de Dieu est ouvert à tous les hommes, quels que soient leur race, leur sexe ou leur religion.* »

Il marqua encore une pause.

« Énoncé 13 : *Les préceptes et les commandements de Dieu sont dans nos cœurs et dans nos esprits, et la lumière de Dieu nous permet de les consulter.* »

Pause.

« Énoncé 14 : *Quiconque s'égare de la lumière de Dieu n'a que son cœur et son esprit à blâmer et il lui est toujours possible de retrouver la lumière de Dieu pour éclairer son cœur et son esprit.* »

Il referma le *Petit Livre* lentement, gardant le silence pendant plusieurs secondes. Puis il reprit :

— Je vous invite à méditer sur ces énoncés, ainsi qu'à parcourir le *Petit Livre* et à consulter Ali concernant toute question au sujet de l'Agneau lumineux de Dieu. Maintenant, je vous invite à baigner vos cœurs et vos corps dans la lumière de l'agneau, la lumière de Dieu. Afin que tous profitent de la lumière, veuillez suivre les directives de notre personnel. Ce sont les personnes vêtues de robes bleues. Pour ceux et celles qui voudraient se joindre à nous en communiant, Ali et moi-même sommes disponibles. Nous serons ici, à gauche de l'estrade. Rendons grâce à Dieu !

Yossef se dirigea vers la gauche de l'estrade et, immédiatement, comme ils étaient entraînés à le faire, les assistants en robes bleues prirent en charge la foule et le cérémonial de l'exposition à la lumière de l'agneau.

Environ une centaine de personnes avaient défilé devant l'agneau lorsqu'on entendit deux coups de feu. La porte de l'école s'ouvrit brusquement et une jeune femme entra rapidement, un pistolet à la main. Les gens se mirent à crier et à se jeter les uns sur les autres. L'un des gardes de sécurité posté à l'avant monta sur l'estrade, près de l'agneau, pour mieux voir ce qui se passait. Apercevant la jeune femme, il la mit en joue et tira. Elle était à environ trente mètres de l'estrade. Il l'atteignit à la cuisse gauche et elle tomba à genoux. Pendant qu'il la mettait de nouveau en joue, elle ouvrit son court manteau et activa la ceinture d'explosifs qu'elle portait autour de la taille. La salle vola en éclats. On n'y voyait plus rien, la poussière et des débris de toutes sortes retombaient partout. Le garde de sécurité s'était instinctivement jeté sur l'agneau tout près de lui et, légèrement blessé, se relevait, complètement perdu. L'agneau, dans ses bras, était intact.

Yossef était par terre, indemne. Ali par contre était gravement atteint à la tête. Quelques personnes à l'avant, près de l'estrade, avaient été blessées, certaines assez grièvement. Les blessés devenaient plus nombreux à mesure qu'on approchait de l'endroit où la kamikaze s'était fait sauter. Là, dans un périmètre d'une dizaine de mètres, c'était un carnage total.

Yossef se releva et, voyant que l'agneau n'avait pas été touché, demanda au garde de sécurité de sortir de la salle, de placer l'agneau dans le fourgon et de retourner immédiatement à la villa. Il se pencha ensuite sur Ali et constata qu'il était mort. Comme les gens, encore paniqués, criaient, couraient vers les blessés ou quittaient la salle, il tenta de prendre la situation en main, aidé de deux assistants en robes bleues qui n'avaient pas été blessés. Ce fut peine perdue. On ne l'entendait pas, on ne l'écoutait pas.

Il sortit de l'école et vit que l'un des gardes de sécurité qui défendaient la porte d'entrée était encore vivant. Il s'assit près de lui, lui prit la main et attendit que les secours arrivent.

⁂

Cet attentat, le deuxième en l'espace de quelques mois, galvanisa Yossef. L'affliction et la peine ressentie les premiers jours qui suivirent la tuerie firent place à de la colère, puis à de la détermination: l'Agneau lumineux de Dieu prenait racine et il était évident qu'il dérangeait. Il fallait donc montrer le plus rapidement possible que ce type de réaction ne faisait pas peur et continuer les activités entreprises en Égypte. Omar remplaça donc Ali et prit en charge la « Mission en Égypte », comme il appelait maintenant le travail amorcé au Caire.

Pour les mêmes raisons, Yossef décida aussi d'accepter les demandes d'entrevue des agences de presse qui couvraient l'acte de terrorisme, alors qu'il avait refusé dans les premiers jours. Il employa très habilement l'occasion qui lui était offerte pour parler du mouvement, de l'agneau lumineux, des buts philanthropiques poursuivis, et il devint une figure mieux connue partout.

Comme l'Agneau lumineux de Dieu faisait partie du paysage médical, politique et semi-religieux de Tunisie, on interviewa aussi Zine Chikri, qui, publiquement, confirma le soutien de l'État tunisien aux œuvres du mouvement. Ainsi, le ministère des Affaires religieuses prenait position: l'Agneau lumineux de Dieu était officiellement reconnu.

Les discussions concernant les dangers reliés à l'exposition de l'agneau reprirent de plus belle. Deux partis s'opposaient. Le premier prônait l'utilisation de fêtes spécifiques durant l'année pour exposer l'agneau à un public présélectionné de malades ou d'adeptes méritants, la définition de « mérite » faisant l'objet de vifs débats. L'agneau serait par exemple porté en triomphe dans une sorte de procession, ou tout simplement placé sur un piédestal tel qu'on le faisait déjà quand on l'exposait, mais en plus majestueux. Le deuxième parti favorisait une option plus spectaculaire, s'inspirant directement du cérémonial du Hajj, le pèlerinage à La Mecque. Une fois par année seulement, pendant quelques jours mais toujours aux mêmes dates et au même endroit, l'agneau serait exposé au public et offrirait à quiconque le désirerait, sans distinction de religion, de race ou de sexe, l'occasion d'être exposé à sa lumière. La guérison physique offerte à tous serait doublée d'une guérison morale aussi offerte à tous, mais sans obligation, par l'entremise des préceptes et des enseignements de l'Agneau lumineux de Dieu.

Dans les deux cas, la durée de vie limitée de l'agneau posait problème. Ce débat durait d'ailleurs depuis un certain temps. La mort, naturelle ou non, de l'agneau risquait de mettre fin au mouvement, à moins que l'on réussisse à transmuer l'élément de guérison physique, bien réel, en concept de guérison morale, un élément spirituel et intangible.

Finalement, une combinaison des deux approches l'emporta, assez rapidement d'ailleurs. On jugea que la possibilité d'utiliser plusieurs fêtes durant l'année permettrait un accès contrôlé plus fréquent à l'agneau et qu'en y ajoutant le pèlerinage annuel, dont l'universalité et l'ouverture cadraient avec les concepts de renouveau et de tolérance que le mouvement promouvait depuis le début, les enseignements de l'Agneau lumineux de Dieu seraient perpétués.

Durant les débats, on avait d'abord nommé l'option du pèlerinage annuel « Pèlerinage vers la Maison de l'agneau ». Ce fut ensuite « Aller à la Maison de l'agneau lumineux», puis «Aller voir l'agneau lumineux». Quelqu'un proposa enfin, plus simplement, la «Fête de la lumière».

Yossef y ajouta un élément clef: il proposa que l'Agneau lumineux de Dieu crée un fonds pour venir en aide aux malades nécessiteux désirant se rendre à la Fête de la lumière.

L'Agneau lumineux de Dieu n'était plus un obscur mouvement régional depuis longtemps et la publicité qui entoura l'attentat du Caire non seulement le fit connaître encore mieux, mais y lia l'élite religieuse et politique tunisienne. Dans ce contexte, la mise en œuvre des nouvelles conditions d'exposition de l'agneau et de la «Fête de la lumière» ne pouvait être envisagée sans qu'on en discute au préalable avec les autorités. Yossef prit donc contact avec Zine Chikri, qui lui donna rendez-vous à son bureau, à Tunis.

La rencontre était prévue pour 15 h et Yossef était arrivé depuis dix minutes lorsqu'on lui signala que le ministre était prêt à le recevoir. Après le thé et un échange de nouvelles, Yossef aborda le sujet de sa visite en donnant un compte-rendu rapide des débats au sujet des expositions futures de l'agneau. Il en vint à la décision qui avait été prise et décrivit en détail les nouveaux concepts d'exposition de l'agneau aux malades, en particulier celui de la Fête de la lumière, de même que leur mise en place.

— Voilà, termina Yossef. Qu'en pensez-vous, monsieur?

Le ministre prit quelque secondes avant de répondre.

— C'est... théâtral, Yossef. Vraiment.

— Merci, monsieur. Vous réalisez sûrement l'impact économique que le pèlerinage annuel peut représenter si jamais il connaît le succès.

— Il connaîtra le succès, Yossef. Pensez-y: tous les malades de la terre rêveront de se rendre à la Fête de la lumière afin de guérir.

— L'Agneau lumineux de Dieu a aussi pensé à aider les malades sans moyens. Nous nous proposons de redistribuer tous nos surplus sous forme d'assistance à quiconque n'a pas la possibilité de se rendre à la Fête de la lumière. Évidemment, ce n'est qu'une idée pour l'instant. Ça suppose une organisation qui pourrait rapidement devenir mondiale.

Zine Chikri réalisait pleinement l'impact éventuel d'une telle célébration annuelle et réfléchissait. Il demanda soudain:

— Qu'attendez-vous au juste de moi, Yossef?

— Votre accord, monsieur. Et si possible, votre aide.

— Bien sûr. Cela dépasse mon ministère, Yossef. Je dois en discuter au Conseil des ministres. En fait, je vais plutôt en parler d'abord avec le président. Je vous remercie de m'avoir avisé de ce projet. Vraiment, ça pourrait aller très loin.

Chapitre 18

L'ambassade américaine de Bogota demanda de rapatrier Tania et Amir aux États-Unis à bord d'un appareil militaire afin d'éviter des démonstrations potentiellement dangereuses. À leur arrivée à la base aérienne non loin de Boston, Louise Kennedy et Bernard Dunn les attendaient. Bernard en particulier était très ému de revoir Tania, et à son grand désarroi, en pleura. Il ressentait à la fois la joie de retrouver la fille qu'il n'avait jamais eue et la femme qu'il n'aurait probablement jamais. Confusément, Tania se rendait compte de cette ambivalence chez Bernard. Elle-même la vivait un peu, attirée à la fois par une figure de père qui pourrait aussi devenir un amant. Mais, au-delà de cette constatation, il y avait Yossef et les rêves fous qu'elle imaginait avec lui.

Quelques jours plus tard, le TTF se réunit pour analyser les événements récents et en mesurer les conséquences sur Tania et ce qu'elle appelait « sa mission ». Comme toujours, la réunion se tenait à l'hôpital militaire où logeait Tania, dans la salle qui leur était réservée à cet effet.

Tania finissait de raconter les détails de l'enlèvement, de leur séjour chez Jesus Esteban, de leur libération et de leur retour, fréquemment interrompue par les remarques et les précisions d'Amir.

— Vous dites que Joseph Samboni vous a semblé être de connivence avec Pietro Gordini ? Vous êtes certaine ? dit Bernard Dunn.

Amir répondit sans attendre :

— Je l'ai aussi remarqué, Bernard. Jos Samboni travaillait pour Gordini.

— Ne soyons pas si catégorique, Amir, dit Tania. Selon ce qu'a dit Pietro Gordini, la découverte de notre enlèvement par Jesus Esteban est due à monseigneur Villegas, qui est un ami de monsieur Esteban. Que le Vatican en ait été informé est tout à fait logique et que Pietro Gordini, qui me connaissait, y ait été mêlé est aussi logique. Monsieur Samboni a peut-être découvert notre présence chez monsieur Esteban par d'autres moyens.

— C'est peu probable, Tania, dit Bernard. Samboni est réputé craindre les voyages. Qu'il ait accepté de se rendre en Colombie implique une récompense ou un avantage prestigieux pour lui-même et son entourage, sa famille.

— Ce qui nous manque, en réalité, dit Louise Kennedy, c'est le lien entre le Vatican et le TTF, ou Tania.

— Tu veux dire l'intérêt du Vatican, dit Bernard.

Il y eut un temps d'arrêt.

— Pourquoi ne pas le leur demander? dit Louise.

— Pourquoi ne pas attendre qu'ils se manifestent? répliqua Bernard. S'ils ont agi en espérant un quelconque marchandage ou un échange de services, nous en entendrons parler.

— Ça ne doit pas être une guérison, avança Tania.

— Que veux-tu dire? dit Louise.

— Le Vatican sait bien que je n'hésiterais pas à me déplacer si une personne importante avait besoin de moi.

— Non, ce n'est pas une guérison, dit Bernard. Il y a un élément qui nous échappe. Et même si nous prenons les devants et essayons de clarifier la situation, nous n'apprendrons rien. La réponse sera que le Vatican a agi en bon père de famille et qu'il a voulu aider l'humanité, vous voyez ce que je veux dire.

— Alors nous allons attendre, conclut Louise.

On apprit l'attentat du Caire peu de temps après. Des reportages filmés sur les lieux du crime après l'explosion témoignaient de l'horreur et de l'étendue des dégâts. Soulagés d'apprendre que Yossef s'en était tiré indemne, Bernard et Tania essayèrent plusieurs fois d'entrer en communication avec lui, mais sans résultat. On le vit par contre à plusieurs reprises dans des entrevues télévisées durant lesquelles il expliquait calmement les buts et intérêts de l'Agneau lumineux de Dieu, sans jamais accuser qui que ce soit. Yossef en ressortait grandi, un résultat que les meurtriers n'avaient sûrement pas prévu.

∽

Amir Sharouf prit rendez-vous avec le Mentor peu de temps après son retour de Colombie. Il avait plusieurs questions à poser. Aucune ne reçut de réponse satisfaisante, le Mentor se montrant ou bien incapable d'expliquer l'inaction de son service au moment de l'enlèvement et durant son séjour en Colombie, ou bien non autorisé à dire quoi que ce soit. Somme toute, Amir devait continuer son travail auprès de Tania Fixx et tenir le Mentor au courant de tout développement. La rencontre avait été froide et brève, et Amir en repartait aussi déçu qu'à son arrivée.

Tania reçut aussi la visite de l'agent Graham Rooke, de la CIA. Il excusa d'abord son service de ne pas avoir été en mesure de mieux la protéger, puis il réitéra avec insistance l'obligation de faire autoriser tout déplacement qu'elle projetait avant de le réaliser.

Tania reçut un appel de Jos Samboni sur son cellulaire. Comme son numéro n'était connu que d'Amir, Bernard, Louise et quelques proches, elle fut surprise.

— Monsieur Samboni ? Comment avez-vous obtenu mon numéro ?

— Je ne me rappelle pas, madame Fixx. Je crois que c'est monsieur Gordini. Ou peut-être quelqu'un de votre organisation, mais vraiment je ne me souviens pas. Comment allez-vous, madame ?

— Bien, merci, monsieur Samboni, je vous remercie encore une fois d'avoir aidé à ma libération, mais je ne vois pas quel intérêt nous aurions à maintenir des relations.

— Je ne désire que garder le contact, madame. On ne sait jamais ce qui nous attend, n'est-ce pas ? Un malheur arrive et nous sommes pris au dépourvu. Je ne veux donc pas que vous soyez prise au dépourvu si jamais vous avez encore besoin d'aide, madame Fixx.

— Mais je n'avais pas besoin de votre aide et je ne l'ai pas demandée!

— Ah! Mais quelqu'un l'a fait pour vous et j'étais là, madame. C'est ce qui compte, n'est-ce pas? C'est pourquoi je sais que je peux aussi compter sur vous. Parce que, vous voyez, c'est comme un prêt. Au besoin, je sais bien que vous me le remettrez.

Tania comprenait parfaitement. Jos Samboni lui rappelait qu'elle avait une dette envers lui. Envers l'un des parrains les plus importants de la mafia de New York.

— Je dois raccrocher, monsieur Samboni. Merci de votre appel. Au revoir, dit-elle et elle coupa la communication.

Elle avisa Amir de cet appel, qui en parla à Bernard. Mais rien d'autre ne fut fait. On classa cet appel, pour un temps du moins.

Le TTF reprit ses travaux sur l'action à entreprendre au Moyen-Orient. Après la prise de position publique du ministère des Affaires religieuses de Tunisie, qui consolidait l'Agneau lumineux de Dieu dans sa démarche, il devenait plus facile de faire des gestes qui iraient dans le même sens que le mouvement sans s'associer, du moins directement, à sa composante religieuse.

Bernard eut plusieurs conversations avec Yossef, qui lui dévoila les dernières décisions du mouvement concernant l'exposition de l'agneau aux malades et adeptes. Le concept de la Fête de la lumière fut longuement étudié et jugé excellent. Cette fête qui s'adressait à tous, sans but religieux ouvert, représentait une occasion d'action commune à envisager sérieusement.

Le TTF avait reçu de nombreuses demandes provenant de malades d'Arabie Saoudite, de même que d'Israël, de Palestine, de Syrie et du Liban. Tel que discuté avec Yossef, on étudia la possibilité d'un déplacement qui permettrait de se rendre dans ces pays et de faire bénéficier quelques grands malades de la lumière de Tania.

Contrairement aux déplacements précédents cependant, où l'annonce d'une visite de Tania et de son cortège ne se faisait qu'à la dernière minute, le TTF fit un battage publicitaire important autour de la visite prévue. L'occasion était belle pour permettre à Tania elle-même d'expliquer sa mission, et une entrevue télévisée fut organisée. C'était la première fois que Tania acceptait d'apparaître elle-même à la télévision. On avait choisi l'émission *CNN Tonight,* à laquelle Bernard avait déjà participé.

L'animateur, son éternel nœud papillon rouge au cou, terminait son entrée en matière. Il posa sa première question:

— Laissez-moi d'abord vous dire, madame Fixx, que nous sommes tous ici surpris par votre apparence. À vrai dire, vous rayonnez, littéralement. Êtes-vous maintenant habituée à cette transformation?

— Vous voulez dire à la lumière que je dégage?

— Oui. Quand vous vous regardez dans un miroir, comment réagissez-vous?

— J'ai longtemps eu peur. Puis je l'ai accepté. Maintenant, je crois que ça me rend plus jolie, dit Tania en souriant.

Elle portait un tailleur gris foncé et une simple blouse blanche.

L'animateur rit à son tour et reprit:

— Le pouvoir de guérison que vous avez vous fait-il peur?

— Non. Vraiment non. La nature m'a fait un don. Un don inexplicable selon nos connaissances actuelles, c'est tout.

— Un don qui change complètement votre vie?

— Totalement.

— Vous avez déjà entrepris plusieurs activités, des voyages aussi, pour rendre service à des malades. Avez-vous l'intention de continuer?

— Oui, bien sûr.

— Même après un enlèvement et un séjour forcé en Colombie?

— C'était peut-être maladroit de la part de ceux qui m'ont enlevée, mais personne n'a été maltraité. Au contraire.

— Parlez-moi un peu de vous, madame Fixx.

— Écoutez, je crois que tout le monde connaît ma vie. Ce n'est plus un secret. Je vous disais plus tôt que la nature m'avait fait un don. Eh bien, je crois que ma vie maintenant consiste à utiliser ce don pour le bien d'autrui.

— Êtes-vous religieuse? Croyez-vous en Dieu?

— Je ne suis pas religieuse. Mais j'ai été élevée dans la foi catholique.

— On dit que vous faites des miracles.

— On appelle souvent miracle ce que l'on ne peut pas expliquer. Je crois que je possède une force qui pour l'instant reste inexplicable, c'est tout. Tout comme il était impossible d'expliquer un orage il y a seulement quelques centaines d'années.

— Votre pouvoir de guérison fonctionne-t-il sur vous-même?

— Vraiment, je ne sais pas. Je l'espère! dit Tania en riant.

— Vous préparez actuellement un voyage au Moyen-Orient, madame Fixx. Pourquoi au Moyen-Orient? Il y a assez de malades ici même, il me semble.

— Effectivement, il y a de nombreuses demandes qui nous sont faites ici même. Mais je veux que mon action dépasse les frontières, les barrières que les hommes se sont données. Par exemple, le Moyen-Orient musulman représente une énigme pour beaucoup de nos concitoyens. J'aimerais que les choses soient vues différemment.

— Vous êtes au courant des pouvoirs de guérison de l'agneau de Tunisie. Qu'en pensez-vous?

— C'est un phénomène qui ressemble au mien. C'est en fait le même pouvoir, aussi invraisemblable que cela puisse paraître.

— Le mouvement de l'Agneau lumineux de Dieu vous apparaît-il dangereux?

— Je crois que c'est d'abord une œuvre humanitaire, et en ce sens je ne puis que l'approuver.

— Revenons sur votre visite au Moyen-Orient. Quand aura-t-elle lieu et où irez-vous?

— Les dates exactes sont encore incertaines, mais nous envisageons être prêts dans environ deux mois. Nous irons d'abord en Arabie Saoudite. Puis si on suit l'itinéraire projeté, à Jérusalem, Beyrouth et Tripoli, en Syrie.

— Vous prévoyez un voyage de combien de jours?

— Deux semaines.

L'animateur posa ensuite plusieurs questions sur la façon dont les malades avaient été choisis et sur l'organisation même du voyage. Il ne s'attarda pas sur les conséquences politiques ou religieuses de l'action de Tania.

L'entrevue se termina sur une invitation ouverte à revenir à l'émission après le voyage, ce que Tania ne refusa ni n'accorda, demeurant vague.

Pendant que le voyage au Moyen-Orient se préparait, le TTF organisa des visites de patients dans des hôpitaux situés à sept cents kilomètres ou moins de Boston, en fait dans un rayon d'action que l'hélicoptère nolisé pour l'occasion pouvait rejoindre sans escale de ravitaillement.

Les premières visites eurent lieu à New York, Philadelphie et Washington, cette ville se trouvant à la limite du rayon d'action permis par l'aéronef. À chaque endroit, les membres du cortège et les gardes de sécurité utilisaient un minibus et des automobiles pour se rendre aux hôpitaux. Sur place, on formait le cortège à pied et on se rendait aux patients. Tania les baignaient de sa lumière, on remettait à chaque malade le pendentif souvenir, puis on repartait. C'était devenu routinier. Mais la foule réagissait toujours comme au début à la vue de l'escorte colorée et se recueillait.

Puis on organisa des visites vers le nord, soit Montréal, Ottawa, Toronto. Ensuite vinrent Detroit, Buffalo, Rochester. On visita neuf villes et vingt hôpitaux en deux mois. Au total, cinquante grands malades guérirent, certains très rapidement, d'autres après quelque temps.

La visite de l'hôpital SickKids de Toronto donna lieu à une scène particulièrement émouvante. On avait accepté de rencontrer quelques enfants en fin de vie à New York, Toronto et Detroit. Le malade de Toronto était un petit garçon de quatre ans en phase terminale dont la mère était décédée quelques semaines auparavant dans un accident d'automobile. En apercevant Tania, il s'était soulevé sur son lit et, en lui tendant les bras, lui avait dit en souriant:

— Maman. Je savais que tu viendrais. Je t'attendais, tu sais. Maintenant, on repart ensemble. N'aie pas peur, je suis là, je vais te protéger.

Tania ne put répondre tant elle était émue. Elle enleva comme à l'accoutumée sa robe blanche à capuchon et prit l'enfant dans ses bras, sans dire un mot. Il se blottit contre elle, répétant « maman, maman ». Finalement, Tania le souleva, lui baisa le front et lui dit doucement:

— Maman ne peut t'emmener avec elle, mon chéri. Mais elle t'a guéri. Tu vas pouvoir rester ici, avec papa. D'accord?

Elle le reposa sur le lit et remit sa robe blanche. L'enfant la regardait, incertain.

— Je suis guéri, maman?

— Oui, mon grand. Maman t'a guéri.

Quelques semaines avant le départ pour l'Arabie Saoudite, Tania reçut la visite de Paul Cross, l'évêque auxiliaire de Boston. Il était accompagné du cardinal Purcell. Dans la cinquantaine, grand et gros, le cardinal affichait un perpétuel sourire, ce qui lui donnait un air débonnaire. C'était trompeur, car il était réputé pour être un habile négociateur, dur et sans merci.

Tania se doutait bien de la raison de cette visite. L'Église la gardait à vue, pour ainsi dire, vérifiant ses moindres gestes, protégeant son investissement, comme se plaisait à le dire Bernard Dunn.

Elle accueillit les deux ecclésiastiques chez elle, dans son petit salon, leur offrit du café et quelques biscuits. C'est finalement le cardinal qui engagea le dialogue.

— Paul m'a souvent parlé de vous, madame. Il vous avait mal décrite. Vous êtes beaucoup plus radieuse que ce qu'il m'avait raconté.

— C'est gentil, merci.

— L'Église est très impressionnée par vos interventions, madame Fixx. Votre bénévolat au mépris de votre sécurité est vraiment un acte de profonde charité envers vos semblables. Je devrais plutôt dire envers les autres, car vous n'avez pas de semblables, madame.

Il fit une pause et posa sa tasse de café sur la petite table à côté de lui.

— Je suis certain que vous avez déjà compris la position dans laquelle vous avez été placée, madame.

Tania ne comprenait pas où le cardinal voulait en venir. Elle le lui demanda.

— Vous faites allusion au phénomène dont je suis l'objet, c'est ça?

— Indirectement, oui. Plus précisément, vous devez réfléchir au fait que ce phénomène, comme vous dites, se produit à une conjoncture unique de l'histoire: le monde chrétien est en déclin, madame Fixx, vous n'êtes pas sans le savoir. L'abandon des valeurs qui ont façonné notre civilisation a créé un vide que rien ne réussit à combler, malheureusement.

Le cardinal s'arrêta, puis reprit:

— Et en même temps, le Moyen-Orient s'enflamme, l'islam gagne du terrain, la Chine prend peu à peu le contrôle des ressources de la terre, bref nous vivons une période de changement sans équivalent dans l'histoire. Vous me suivez, n'est-ce pas?

— Monseigneur, non, je ne vous suis pas.

L'évêque Cross essaya d'aider son supérieur.

— L'Église vous voit comme une envoyée spéciale, madame Fixx. Vos pouvoirs miraculeux, car ils sont bien miraculeux, croyez-moi, vos pouvoirs miraculeux dis-je pourraient lui être d'un grand secours dans ses efforts d'éducation et de direction de ses fidèles à travers le monde.

— Le Saint-Père lui-même reconnaît cet aspect de votre don, comme vous le désignez, renchérit le cardinal.

— Le Saint-Père reconnaît quoi, au juste, monseigneur?

— Ce que j'essaie de vous faire comprendre, madame Fixx, c'est que le Saint-Père aimerait que vous lui veniez en aide dans sa mission pontificale. Il est sous l'impression que votre venue sur terre en cette période troublée de l'humanité est un acte dirigé par l'Au-delà, si je puis dire.

Tania ne savait que répondre et ne dit rien.

— Bon, je réalise que ce discours a de quoi vous surprendre. Restons-en là pour l'instant, madame Fixx. Mais pensez à ce que je viens de vous dire. Pensez-y sérieusement, s'il vous plaît.

Paul Cross intervint en posant à Tania des questions sur ses dernières visites dans les hôpitaux. Elle répondit en lui parlant des malades, de leurs réactions. Puis elle demanda au cardinal:

— Monsieur Gordini est-il au courant de votre visite, monseigneur?

— Ah, je ne puis vous dire, madame. Je ne sais pas. Je ne crois pas, non.

Tania n'insista pas. On parla ensuite de son enlèvement, de son séjour chez Jesus Esteban, enfin de monseigneur Villegas, que supposément ni le cardinal ni l'évêque ne connaissaient. Puis après quelques politesses, Paul Cross et le cardinal Purcell partirent.

Bernard Dunn et Louise Kennedy essayèrent d'analyser plus à fond les raisons de cette visite sans trop de succès. Même si cette manifestation d'intérêt était en accord avec les conclusions auxquelles le TTF était parvenu, que voulait-on dire au juste ? Que l'Église souhaitait l'aide de Tania ? Où et comment ? Que Tania se réclame officiellement envoyée spéciale ? C'était du plus haut ridicule à leurs yeux. Des données restaient cachées, volontairement. Que planifiait au juste le Vatican ?

Chapitre 19

Depuis quelques semaines, Yossef et ses principaux conseillers travaillaient à l'organisation des fêtes entourant les nouvelles mesures d'exposition de l'agneau lumineux au public. Avec le temps et surtout au fur et à mesure que le mouvement prenait de l'ampleur, Yossef s'était entouré de gestionnaires et de plusieurs spécialistes. L'Agneau lumineux de Dieu comportait maintenant trois divisions, ou départements: les affaires internes, soit tout ce qui concernait l'administration matérielle du mouvement, les affaires médicales, regroupant les éléments reliés aux effets du rayonnement de l'agneau et à la santé des malades, et finalement les affaires religieuses, ce département étant chargé de la gestion des impacts du mouvement non seulement sur le monde islamique dont il faisait partie, mais sur l'ensemble des communautés religieuses du globe. Le mandat du département des affaires religieuses comportait aussi l'élaboration d'un message de l'Agneau lumineux de Dieu en conformité avec les principes et les idées véhiculés par le mouvement.

Chacun de ces départements était dirigé par un expert ou un érudit que l'Agneau de Dieu avait attiré. Ahmed Ben Salem dirigeait les affaires internes; il avait quarante-cinq ans et présidait les destinées d'une chaîne de marchés d'alimentation avant de se joindre à l'Agneau lumineux de Dieu. Samir Haddad, un jeune médecin et professeur à l'université El Manar de Tunis, était chargé des affaires médicales. Enfin, Rafik Chakroun, un expert en théologie diplômé de l'université Ezzitouna de

Tunis ainsi que de l'Institut de théologie St-Denys de Paris, s'occupait des affaires religieuses; à trente-quatre ans, c'était un homme de lettres passionné par l'histoire et les religions du monde. Ces trois personnes formaient avec Yossef le Conseil exécutif de l'Agneau lumineux de Dieu.

Il y avait eu de longues discussions sur le nombre et la nature des fêtes à célébrer durant l'année, certains voulant s'inspirer des célébrations islamiques, d'autres des célébrations juives et chrétiennes. Aucune de ces approches ne fut finalement retenue. Une proposition faisant appel aux périodes de changement de saison fit l'unanimité: il y aurait quatre fêtes durant l'année, une à chacun des équinoxes, soit le 21 mars (printemps) et le 21 septembre (automne), et une à chacun des solstices, soit le 21 juin (été) et le 21 décembre (hiver). Ces dates seraient fixes, c'est-à-dire qu'elles ne changeraient pas même si la date exacte du changement de saison ne tombait pas le 21 du mois.

La grande fête annuelle, qu'on avait nommée Fête de la lumière, coïnciderait avec la Fête du printemps. Cette dernière serait non seulement l'événement le plus important de l'Agneau lumineux de Dieu, mais on la voulait ouverte à tous, universelle. Axée d'abord sur la guérison des corps, elle deviendrait la fête du renouveau, de la vie tant matérielle que spirituelle, et ne comporterait aucune obligation, aucun engagement des participants.

L'idéologie du mouvement avait aussi été discutée à plusieurs reprises durant ces débats. Initialement issu d'un groupe rassemblé autour d'un phénomène médical inexplicable, l'Agneau lumineux de Dieu évoluait vers une secte religieuse teintée d'un langage islamique, une dérive qu'on jugeait dangereuse.

Yossef en était conscient. Il était clair qu'une partie de ce monde islamique dont presque tous étaient issus n'acceptait pas l'Agneau lumineux de Dieu: les attentats le montraient bien.

Rafik Chakroun et Samir Haddad s'interrogeaient en particulier sur la pertinence de « la bonne nouvelle », un message inspiré du Coran qui laissait croire que le mouvement n'était qu'une continuation de l'islam. Ils en discutaient justement avec Yossef. Rafik terminait un exposé de la position que lui-même et Samir Haddad soutenaient.

— Finalement, dit Rafik, comme je viens de le démontrer, ce message est nuisible. Les textes ne sont pas uniformes et leur style est trop hermétique. Le clergé chiite en est irrité, de même qu'une partie moins tolérante de notre clergé sunnite. Nous devons abandonner ce discours pour nous concentrer sur autre chose.

Samir Haddad prit la parole.

— C'est aussi l'opinion de beaucoup de nos dirigeants, Yossef. La position qui rencontre le plus de soutien propose de propager, consciemment et constamment, un message plus neutre, plus œcuménique, comme dirait Rafik. Et ce message existe déjà de façon embryonnaire dans le *Petit Livre.*

— C'est vrai, dit Yossef. C'était d'ailleurs l'intention du *Petit Livre:* véhiculer quelques notions simples acceptables par tous.

— Pour autant que celui qui le lit garde l'esprit ouvert, bien sûr, ajouta Rafik. D'ailleurs, cela nous amène justement à ce que nous croyons être une solution valable: nous proposons de n'utiliser que le *Petit Livre* comme véhicule d'information. De faire du *Petit Livre* le recueil de la pensée de l'Agneau lumineux de Dieu.

— Tel quel? demanda Yossef.

— Non. Notre proposition va plus loin. Il faut d'abord dissocier le plus possible le *Petit Livre* de toute pratique religieuse. Je veux dire de tout rite. Le *Petit Livre* contient déjà quinze énoncés très pertinents et une foule de prières générales qui n'ont pas rapport aux énoncés. Nous suggérons d'enlever les prières du *Petit Livre.* Ensuite, continua Rafik, il faudrait mieux faire comprendre la nature et la portée des quinze énoncés. On y arriverait si après avoir fait état des énoncés, on les reprenait un à un en les expliquant brièvement, de façon neutre si possible, j'entends ici sans connotations avec les religions actuelles.

— Ce serait alors un simple exposé de préceptes généraux, dit Yossef.

— Ce serait un petit document de quelques pages que tout le monde pourrait porter sur soi ou avoir près de soi, confirma Rafik. Un document de base, rassembleur, et difficilement attaquable, à mon avis.

— Oui, je comprends, dit Yossef. Et de quelle nature seraient les explications?

— Nous avons pris la liberté d'en préparer quelques-unes pour fins de discussion, dit Rafik.

Il sortit un document d'un cartable posé près de lui et après l'avoir consulté rapidement, en retira une page qu'il tendit à Yossef.

— Ceci n'est qu'un exemple, mais voilà à quoi pourrait ressembler un commentaire, ou une explication, de l'énoncé un.

Yossef prit la feuille qui lui était tendue. Elle contenait le texte suivant:

Énoncé 1

Dieu transcende notre univers et notre univers est son œuvre.

Commentaire

La terre n'est qu'un astre autour d'une étoile. Elle n'est pas le centre de l'univers. L'homme n'est qu'une créature sur la terre. Il n'est pas non plus le centre de l'univers. Mais sans univers, il n'y a ni terre ni homme. Selon nos connaissances actuelles, il nous est impossible de connaître comment l'univers s'est formé. Ni pourquoi il s'est formé. Nous en attribuons donc la cause à une force ou une intelligence qui a précédé l'univers. Et nous appelons cette cause Dieu.

Dieu transcende donc notre univers et notre univers est son œuvre.

— C'est très général, mais aussi très contemporain, dit Yossef. Avez-vous un autre exemple plus... vivant... en fait plus près de nos préoccupations terrestres? ajouta-t-il en accentuant le mot terrestre.

Rafik sortit une autre page de son cartable et, en la lui remettant:

— Voici une proposition pour l'énoncé douze.

Yossef prit la feuille et lut:

Énoncé 12

Le chemin de Dieu est ouvert à tous les hommes, quels que soient leur race, leur sexe ou leur religion.

Commentaire

La nature, soit les normes de l'univers connu, a fait que l'être humain se reproduit de façon sexuée et se différencie par couleur selon l'endroit où il a vécu. L'être humain est donc homme et femme, et tous deux font partie de l'univers. Tous deux sont donc indirectement l'œuvre de Dieu. Les couleurs de peau et les regroupements en états, nations ou races sont des variations propres aux être humains, et font aussi partie de l'univers, qui est l'œuvre de Dieu.

Dieu étant à l'origine de l'univers, toutes les religions sur terre sont donc, aussi, une expression de son œuvre.

Or, comme l'œuvre de Dieu lui appartient, toute expression de l'œuvre de Dieu lui appartient aussi et mène vers lui.

— Encore une fois, c'est très actuel, très large. Avez-vous préparé des commentaires pour les quinze énoncés? dit Yossef.

Rafik prit le cartable et le remit à Yossef.

— Voilà. Ce ne sont que des ébauches, Yossef.

— De bonnes ébauches, Rafik. Je vais en prendre connaissance. Bon, où en est-on au sujet des fêtes? Vous vous souvenez que les malades ne pourront plus être exposés à l'agneau d'ici peu. Dans quelques semaines, je crois.

Samir Haddad répondit:

— Je crois qu'Ahmed devrait vous répondre, Yossef. Il est dans son bureau. Je vais le chercher.

Il revint à peine une minute plus tard avec Ahmed Ben Salem, qui dirigeait la section des affaires internes de l'Agneau lumineux de Dieu. Samir le mit rapidement au courant de la conversation en cours et Yossef reposa sa question:

— Ahmed, la date de cessation de nos activités auprès des malades arrive dans quelques semaines. Où en est-on avec la préparation des fêtes durant lesquelles l'agneau sera exposé aux malades?

— Samir, Rafik et moi-même en sommes arrivés à une entente concernant le déroulement des cérémonies des fêtes et les personnes qui y seront invitées. À l'exclusion de la Fête de la lumière, bien sûr, où tout est encore à décider. Mais nous sommes en juillet. La première fête, soit celle du 21 septembre, nous laisse encore deux mois de préparation. C'est suffisant. Nous aurons le temps d'adapter nos installations.

— Il n'y a encore rien de fait concernant la Fête de la lumière? questionna Yossef.

— En fait, nous avons un problème. Nos démarches pour trouver et réserver un emplacement pour cet événement n'aboutissent pas.

— Ah… et où en êtes-vous exactement?

— Après consultation, nous avons concentré nos démarches sur deux sites possibles: le stade olympique d'El Menzah et l'hippodrome de Kassar-Saïd. Ces deux endroits ne sont pas disponibles. Nous sommes dans une impasse, car aucun autre site n'offre une telle capacité.

— Mars prochain est dans huit mois. Avez-vous pensé à aménager des installations à Oued Ellil, ici même? Ces installations pourraient être temporaires, étant donné le court délai dont nous disposons.

— Nous travaillons actuellement sur cette option, Yossef.

— Quand aurez-vous des résultats?

— Dans deux semaines. Nous avons demandé des devis d'aménagement à deux entreprises de Tunis et attendons leurs soumissions. Nous avons déjà entrepris les démarches pour acquérir un terrain, une ferme en fait, non loin d'ici, qui répondrait à nos besoins. Nous n'entrevoyons pas de problème de ce côté.

— Quels types d'installations avez-vous considérés exactement?

— Des aménagements semi-permanents. Essentiellement quelques salles, des voies de circulation piétonnière et évidemment toute l'infrastructure sanitaire. Ainsi que des points de contrôle. Côté sécurité, mais aussi côté médical. Les visiteurs seront souvent de grands malades.

— Nous avions fait des projections concernant l'assistance aux fêtes. Ces prévisions ont-elles été étudiées?

— Nous nous attendons à ce que huit à dix mille personnes assistent à la Fête de l'automne le 21 septembre prochain. Pour les autres fêtes, nous ne savons pas. Particulièrement en ce qui concerne la Fête de la lumière, Yossef. Vous vous rappelez d'ailleurs que cette fête s'échelonnera sur quelques jours.

C'était la fin de l'été et la visite au Moyen-Orient prévue par le TTF devait être au point. Yossef appela donc Bernard Dunn. Il lui fit d'abord un compte-rendu des derniers événements, particulièrement les préparatifs de la Fête de l'automne. Bernard était intéressé au déroulement de cette fête.

— Je vois que votre message a évolué, Yossef. Qu'est-ce qui a motivé cette nouvelle orientation?

— Ce n'est pas une nouvelle orientation. Le *Petit Livre* contenait déjà le message du mouvement. Nous avons plutôt éliminé les éléments contradictoires que le mouvement véhiculait. En particulier tout ce qui pouvait être identifié à un rite quelconque, en fait au Coran.

— Je crois que c'est très sage. L'Agneau lumineux de Dieu offrira moins de prise à la critique partisane. Avez-vous anticipé une réaction du clergé islamique?

— Non. Comment pourrions-nous anticiper quoi que ce soit?

— C'est vrai. Mais vous devez demeurer vigilants.

— Merci, Bernard. Le TTF a-t-il arrêté les dates de son séjour au Moyen-Orient?

— Oui. Nous avons finalement prévu un séjour de deux semaines, commençant le 20 septembre, soit dans un mois. Nous voulions être en action le 21 septembre, au moment de votre première fête. Nous faisons actuellement parvenir les horaires exacts d'arrivée aux différents hôpitaux que nous visiterons.

— Et du côté publicité?

— Nous serons le point de mire, évidemment. Je m'attends à donner quelques entrevues seulement. Tania n'y participera pas.

Chapitre 20

Tania, Amir, Robert Dunn et Louise Kennedy étaient montés à bord de l'avion nolisé pour le vol vers Riyad à 9 h. Le personnel de soutien, soit les gardiens de sécurité et les assistants, avaient quitté Boston la veille, sur des vols réguliers. Amir avait été prévenu que la CIA posterait des agents tout au long du parcours en cas de besoin. On ne voulait pas un autre Vancouver. En particulier, Israël se tenait prêt à une intervention si un problème survenait.

L'avion, un long-courrier de dix places, était luxueusement aménagé et le vol se déroulait comme prévu. À douze mille mètres d'altitude, le ciel était bleu, le temps calme. Une courte escale de ravitaillement était prévue à Londres. Il était 19 heures heure locale quand l'avion atterrit à l'aéroport de Gatwick. L'hôtesse profita de l'arrêt pour servir un excellent repas, bien arrosé.

Le capitaine, descendu pour s'occuper des formalités, revint à bord accompagné d'un officier en uniforme et demanda à parler à Bernard Dunn.

— Nous avons une requête spéciale, monsieur. Comme vous le savez, le ravitaillement prendra encore approximativement quarante-cinq minutes. Évidemment, la présence de madame Fixx à bord est connue. Une personne importante aimerait profiter de notre escale pour la saluer.

— Vous savez déjà que madame Fixx désire profiter de ce vol pour se reposer. Alors je dois malheureusement dire non à cette demande.

— La personne qui désire saluer madame Fixx est la reine, monsieur.

— Pardon?

— La reine d'Angleterre, monsieur.

— La reine est à l'aéroport?

— Elle est à bord d'une voiture non loin d'ici. Le trajet jusqu'à l'avion ne lui prendrait que quinze minutes.

Robert en avisa Tania qui, ne voulant pas déplaire ni créer d'incident, accepta de recevoir la reine.

— C'est ironique quand même, dit-elle. La reine d'Angleterre qui demande une entrevue!

À peine quinze minutes plus tard, une limousine noire se gara près de l'avion. Aidée d'un assistant, la reine, une dame âgée vêtue d'un manteau léger et d'un chapeau, sortit difficilement de la limousine et monta à bord de l'aéronef. Tania l'attendait à la porte. Elle la salua en pliant légèrement le genou comme Bernard le lui avait conseillé, puis toutes deux s'assirent face à face, séparées par une petite table basse.

— Je vous remercie de prendre le temps de me recevoir, dit la reine.

— Je vous en prie, majesté. Je suis très honorée de votre visite.

— Vous rayonnez littéralement. C'est vraiment... très surprenant, ajouta la reine, l'air médusé.

— Merci, répondit simplement Tania.

— Je veux vous féliciter pour votre travail auprès des malades. Vous faites montre de beaucoup d'altruisme, ce qui est rare aujourd'hui.

Tania hocha la tête avec un sourire.

— Je voulais aussi profiter de votre lumière, madame Fixx. On a caché ma maladie, mais je suis atteinte du diabète et nous craignons des complications. Voilà. Je m'excuse si ma demande vous offense.

Tania était surprise de la simplicité et de la franchise que cette dame lui démontrait. Spontanément, elle s'en approcha et lui donna l'accolade. Elle la tint dans ses bras une dizaine de secondes. Puis, réalisant que cette familiarité n'était probablement pas de mise, elle s'excusa:

— Voilà, madame, je crois bien que votre diabète est guéri. Vous excuserez ma façon de procéder, mais elle est efficace, dit-elle avec un sourire.

La reine ne laissa voir aucun embarras. Elle lui posa quelques questions sur sa vie, le voyage qu'elle effectuait, puis prit congé en ces mots:

— Madame Fixx, je vous remercie de votre gentillesse. Je vous souhaite un excellent séjour à l'étranger. Sachez que vous avez en moi une alliée. N'hésitez pas à demander mon assistance si le besoin s'en fait sentir. Je prendrai les mesures requises pour vous aider.

Elle se leva et se dirigea vers la porte, saluant les personnes qu'elle rencontrait. Elle descendit l'escalier aidée de son assistant et remonta dans la limousine qui partit aussitôt.

Amir, Bernard et Louise s'étaient assis dans les fauteuils à l'arrière de l'avion afin de permettre à Tania et à la reine de converser plus privément. Ils reprirent leurs places habituelles autour de Tania, commentant la visite surprise de la reine. Amir semblait soulagé et le montra.

— Bon, c'est fait, dit-il.

— Nous avons rendu service à une personne âgée, dit simplement Tania. Il n'y avait pas de danger.

— Non, pas une fois à bord. Mais ça aurait pu être n'importe qui et nous n'aurions pu réagir.

— Amir a raison, dit Bernard. Nous nous sommes laissé intimider par un titre. C'était dangereux.

L'avion redécolla. L'arrivée à Riyad était prévue pour 6 h 30 le lendemain matin, heure locale.

L'atterrissage à l'aéroport King Khalid se fit à l'heure prévue. Il faisait un temps splendide. Tania endossa un vêtement qui la voilait de la tête aux pieds, en accord avec les traditions et exigences locales. Elle mit aussi un voile et des gants pour se dissimuler le visage et les mains, cachant ainsi sa luminosité. Des arrangements avaient été pris pour qu'un médecin de l'hôpital King Faisal les attende au terminal afin de faciliter leurs déplacements. Les formalités passées, le petit groupe se rendit à l'hôtel Marriott du centre-ville, où les assistants étaient déjà installés. Tout se déroula dans l'ordre. Aucune foule ou groupe de curieux n'entrava leur déplacement.

On en profita pour s'acclimater au décalage horaire. Toute la journée fut consacrée au repos. Tania prit ses repas à la chambre, en compagnie de Louise.

Évidemment, les autorités saoudiennes avaient été prévenues, et le lendemain matin, des gardes spéciaux étaient postés à l'hôtel. Tania se leva à 7 h, prit un petit-déjeuner léger à sa chambre puis se prépara. Son vêtement de cortège cadrait particulièrement bien avec les exigences locales: longue et ample robe blanche à capuchon la couvrant jusqu'à la cheville, souliers blancs, gants blancs. Elle ne se voila pas le visage, laissant sa luminosité à la vue de tous. À 8 h, elle était prête. Elle en avisa Amir, qui vint aussitôt la chercher. L'escorte attendait dans une petite salle de réunion réservée pour le séjour. Les jeunes femmes portaient de longues robes rouges à manches longues, avec un foulard rouge sur la tête.

Tania dut prendre l'ascenseur, accompagnée d'Amir. Elle fut immédiatement reconnue. On la saluait poliment, des hommes surtout. L'escorte se forma dès son arrivée à la salle. Puis on se rendit dans le hall d'entrée. L'apparition du cortège, inattendue, fit une impression énorme. Les gens applaudissaient, criaient des bravos. À l'extérieur, un minibus rouge et des voitures blanches, comme partout ailleurs, les attendaient. Ainsi qu'une escorte policière.

Le trajet jusqu'à l'hôpital King Faisal ne prit que quelques minutes. Les voitures stationnées, les gardes de sécurité se déployèrent, le cortège se forma et se dirigea vers la porte d'entrée en chantant. Immédiatement, un petit groupe se forma, suivant le cortège jusqu'à l'intérieur de l'hôpital.

Le premier patient était un homme dans la quarantaine, un médecin, amaigri par la maladie. Tania procéda comme d'habitude, jusqu'à la remise du pendentif en forme de cœur. Elle s'attarda un peu pour échanger quelques mots, racontant brièvement au médecin le hasard de son accident et de ses pouvoirs. Aucune allusion à Dieu, Allah, le ciel ou autre élément religieux.

Il y avait quatre autres patients à voir. Avec chacun, Tania prit le temps d'échanger quelques mots, prenant soin de convertir toute allusion à Allah en remerciement à la nature et au hasard qui l'avait dotée de ses pouvoirs.

Après le dernier patient, le cortège se dirigea vers l'extérieur en chantant. Une foule impressionnante les attendait. La télévision aussi. Aucun chahut cependant, mais des applaudissements, des salutations en arabe. On monta à bord des véhicules, qui repartirent aussitôt vers l'hôtel.

Là aussi une foule s'était rassemblée et l'attendait. De même que la télévision. Même respect, même calme qu'à l'hôpital.

Tania regagna sa chambre. Il était 13 h. On était le 21 septembre: la Fête de l'automne, à Oued Ellil. Elle vérifia si l'événement était couvert par la télévision, mais il n'y avait rien. Du moins pas encore, il était probablement trop tôt.

Ce n'est que le soir, vers 21 h, qu'un reportage en langue arabe sur Oued Ellil fut diffusé pendant que Bernard, Louise et Tania revenaient rapidement sur la journée. Aucun d'entre eux ne comprenait l'arabe, mais la cérémonie était impressionnante et il semblait y avoir plusieurs milliers de personnes qui attendaient ou défilaient autour d'un podium semi-circulaire légèrement surélevé sur lequel était exposé l'agneau, gardé par quatre jeunes hommes vêtus de blanc. Plusieurs assistants portant des djellabas bleues dirigeaient la foule. Dans une autre scène, un reporter interviewait des malades en fauteuil roulant, et enfin on montra une salle où un cérémonial de lecture de texte et de partage de vin se déroulait.

Il était prévu que Bernard accorderait une entrevue dans chaque ville de la tournée. Louise avait accepté une demande de la chaîne satellitaire Al Jazeera pour le lendemain matin. L'équipe de reportage se présenta à l'hôtel une heure avant l'entrevue et s'installa dans la salle réservée par le TTF pour la durée de son séjour.

Le reporter, un homme d'une quarantaine d'années vêtu à l'occidentale, s'attarda d'abord sur Tania, ses pouvoirs, sa mission, puis sur le TTF et ses buts. Il en vint ensuite à la tournée au Moyen-Orient et posa plusieurs questions sur la raison de cette visite. Bernard, bien préparé, répondait calmement. Le reporter posa alors la question suivante:

— Votre visite à Riyad coïncide avec la Fête de l'automne de l'Agneau lumineux de Dieu. C'est la première grande démonstration de cette organisation, je crois. Est-ce un hasard, monsieur Dunn?

Bernard attendait cette question.

— Notre visite au Moyen-Orient a nécessité plusieurs semaines de préparation, et les dates de notre séjour étaient déjà arrêtées lorsque nous avons appris le calendrier des fêtes de l'Agneau lumineux de Dieu. Nous n'avons évidemment pas modifié notre planification.

— Vous êtes donc en contact avec l'Agneau lumineux de Dieu?

— Bien sûr. Le phénomène de luminosité de l'agneau semble identique à celui de madame Fixx. Il est normal que notre organisation s'y intéresse. En fait, que madame Fixx s'y intéresse.

— Que pensez-vous de l'Agneau lumineux de Dieu?

— Dans quel sens, monsieur?

— Cette organisation semble véhiculer un message différent du vôtre. Vous ne croyez pas?

— Madame Fixx et le TTF ne poursuivent aucun but religieux, comme je vous l'ai dit plus tôt. Notre action se concentre sur les pouvoirs de guérison de madame Fixx et sur sa décision de partager ce don extraordinaire qu'elle a reçu avec le plus de gens possible. À notre avis, l'Agneau lumineux de Dieu, bien que son approche diffère de la nôtre, partage cette vision, soit faire bénéficier les malades des pouvoirs de guérison de l'agneau.

— L'Agneau lumineux de Dieu diffuse quand même un important contenu religieux, vous le savez sûrement.

— Oui.

— Vous êtes d'accord avec cette approche?

— Nous ne sommes ni en accord ni en désaccord. Comme je vous l'ai dit plus tôt, nous ne poursuivons aucun but religieux et croyons que l'Agneau lumineux de Dieu est tout à fait libre d'agir selon ce que ses dirigeants croient être la meilleure approche.

— Je vois, dit le reporter.

Il posa encore quelques questions sur la prochaine étape, et l'entrevue se termina sur des vœux de succès des démarches de Tania et du TTF.

L'itinéraire prévoyait la prochaine étape, Jérusalem, vers la fin de la troisième journée du voyage. Effectivement, l'avion nolisé se posa à l'aéroport Ben Gurion à 18 h 30. Comme toujours, les assistants et le personnel de sécurité utilisaient des vols commerciaux réguliers et étaient déjà sur place, à l'hôtel King David, au centre-ville. L'arrivée à l'aéroport n'avait pas passé inaperçue. Des gardes de sécurité assuraient le transfert de l'avion aux services douaniers et aux limousines mais Tania, vêtue d'une djellaba et voilée, avait été reconnue. Des curieux l'avaient suivie jusqu'à son départ du terminal.

L'hôtel King David, vieillot mais luxueux et très confortable, lui réservait une surprise: aussitôt montée à sa chambre, une petite suite avec salon, Tania fut informée qu'un visiteur désirait la voir, préférablement seule. Il s'appelait Pietro Gordini et c'était un religieux.

Pietro Gordini avait reçu un ordre de son supérieur lui demandant de prendre toutes les mesures nécessaires pour amener Tania Fixx au Vatican. L'étude plus détaillée des parallèles historiques et des mythes associés au phénomène de luminosité qui affectait Tania avait montré que plusieurs figures marquantes de l'histoire antique ou bien portaient des noms les associant à la luminosité, ou encore avaient laissé des traces de pouvoirs mystérieux. On citait comme exemples Zarathoustra[5], dont apparemment le nom signifiait «lumière d'or», Akhénaton[6], le pharaon qui s'associait à la lumière et au soleil, ainsi que divers autres personnages dont la caractéristique principale était qu'ils avaient révolutionné les conceptions de leur époque. L'étude indiquait aussi que dans toutes les religions monothéistes actuelles, les anges étaient vus comme des êtres lumineux, sans pousser plus loin l'analyse. Cette étude, jointe aux données déjà reçues concernant certains attributs du Christ, confirma les prérogatives d'appropriation que se donnait le Vatican concernant Tania Fixx, d'où l'ordre donné à Pietro Gordini.

---

5 Zarathoustra (ou Zoroastre): personnage religieux important qui vécut en Iran environ 600 ans avant JC. Les bribes de récits qui restent de sa vie sont remplies d'événements miraculeux et l'ont souvent fait voir comme un sage, un magicien. Il a donné naissance au zoroastrisme, une religion qui s'est par la suite répandue dans toute l'Asie mineure, connue aussi sous le nom de religion des mages. Cette religion monothéiste enseignait qu'un rédempteur viendrait sur terre un jour, qu'il y avait un ciel et un enfer, et que le bien triompherait du mal à la fin des temps.

6 Akhénaton: pharaon égyptien de la 18e dynastie qui régna de 1355 av. JC à 1317 av. JC. Akhénaton bouleversa la théologie de son temps et l'histoire de l'Égypte en voulant imposer le culte du dieu unique Rê-Horakhty, «qui est dans le soleil», soit le culte du dieu-soleil.

Tania, très surprise de la présence de Gordini à Jérusalem, accepta de le recevoir, mais avertit qu'elle serait accompagnée de Bernard et qu'elle ne serait disponible que dans trente minutes, le temps de se changer et de se rafraîchir.

Elle avisa aussitôt Bernard, qui la rejoignit immédiatement dans sa suite. Elle avait peur et Bernard dut la rassurer, faisant valoir le fait qu'on était à Jérusalem, un centre important de la chrétienté, et que Pietro Gordini voulait probablement profiter de l'occasion pour lui demander un retour sur l'investissement qu'il avait fait en Colombie.

Pietro Gordini frappa à la porte exactement trente minutes plus tard. Il était 20 h 45. Il s'excusa de cette heure tardive, complimenta Tania sur son aspect radieux et prit le siège qu'elle lui proposait.

— J'aurais préféré vous voir seule, madame Fixx, mais je comprends votre hésitation. Il était surtout important que monsieur Sharouf ne soit pas présent.

— Amir? dit Bernard.

— Oui, Amir Sharouf.

— Amir m'est très dévoué, ajouta Tania. Connaît-il des difficultés personnelles? Je ne sais pas pourquoi je vous pose cette question d'ailleurs, vous résidez au Vatican.

Pietro Gordini regardait le sol. Il releva la tête et dit:

— Monsieur Sharouf n'est pas la personne que vous pensez, madame. C'est un agent de la CIA.

Bernard et Tania se figèrent.

— Plus exactement, madame Fixx, Amir Sharouf a exécuté votre mari sur ordre de ses supérieurs. Son procès n'a jamais eu lieu, car on cherchait à l'extraire de ce mauvais pas afin de lui assigner d'autres missions. Votre offre de le garder à votre service a facilité beaucoup de choses: monsieur Sharouf ne pouvait être mieux placé pour vous observer et informer ses patrons de vos faits et gestes.

— Comment êtes-vous au courant de ce que vous affirmez, monsieur Gordini? demanda Bernard.

— Nous avons nos sources, monsieur, et croyez-moi, elles sont très fiables.

Bernard se leva et fit quelques pas. Tania regardait Gordini sans dire un mot. Finalement, elle lui demanda:

— Pourquoi nous rapportez-vous cette information maintenant, ici, monsieur Gordini?

Gordini se frotta lentement le front de la main droite. Puis, regardant Tania directement dans les yeux, il dit:

— Ce que je vais vous dire madame n'a pu être confirmé, mais je dois vous le mentionner. La CIA aurait élaboré plusieurs plans d'intervention vous concernant, et l'un de ces plans vise votre élimination.

— Pardon? dit Bernard.

— Vous avez bien compris, monsieur.

— Et... Amir serait au courant de ce complot? Il en ferait partie? demanda Tania.

— Je ne sais pas, madame Fixx. Nous n'avons pas assez de détails sur le rôle exact de monsieur Sharouf. Peut-être n'agit-il que comme informateur.

— C'est impensable! affirma Bernard. Mais quel rôle exact jouez-vous dans tout cela, monsieur? Comment ces informations vous parviennent-elles?

— Je ne puis vous répondre plus en détail, monsieur Dunn, mais encore une fois sachez que nos sources sont extrêmement fiables. L'Église a des ressources parfois insoupçonnées.

Il y eut un long moment de silence. Puis Bernard se rassit.

— Si on vous a envoyé pour nous transmettre cette nouvelle, dit-il, c'est que vous avez une proposition à faire, monsieur Gordini.

— Je peux vous débarrasser de monsieur Sharouf, dit-il le plus simplement du monde.

Ni Tania ni Bernard ne bronchèrent.

— Que voulez-vous dire, monsieur Gordini? demanda Tania.

— Que je peux vous débarrasser de monsieur Sharouf, c'est tout. Soyez sans crainte: nous ne sommes pas des assassins. Il sera... mis à l'écart pour un temps.

Bernard était sidéré. Il se leva et, s'adressant à Gordini, dit:

— Bon, il est tard. Nous devons réfléchir à ce que vous nous apprenez, monsieur. Notre première visite demain doit avoir lieu à l'hôpital Saint-Louis, tout près d'ici.

— C'est un hôpital catholique et nos bonnes sœurs vous attendent, dit Gordini. C'est aussi pourquoi je désirais vous voir ce soir. Nous pourrions, disons... neutraliser monsieur Sharouf lors de votre visite demain. Elle est prévue pour 10 h, n'est-ce pas?

Tania se leva.

— Merci de votre visite, monsieur Gordini, dit-elle. Bernard et moi allons réfléchir...

Bernard l'interrompit brusquement. Il réalisait soudainement la pleine portée de ce qui venait de leur être révélé.

— Non, Tania. Assieds-toi, s'il te plait.

Puis, s'adressant à Gordini:

— Amir dirige nos services de sécurité. S'il est... neutralisé, comme vous dites, qui s'occupera de ce personnel?

— Nous, monsieur Dunn, répondit Gordini.

— Vous? dit Tania.

— Votre sécurité serait assurée par du personnel qui nous est attaché dès demain. Amir serait secondé par une personne de nos services demain matin ici même, avant de quitter l'hôtel, sous prétexte que cette demande provient de la police locale. Cette personne le remplacerait à votre arrivée à l'hôpital. Je crois que c'est madame Kennedy et vous-même, Bernard, qui contrôlez les détails de ce voyage? Il suffira de prévenir le personnel de ce remplacement en invoquant une mission urgente que vous avez confiée à monsieur Sharouf.

— Nous pourrions aussi confronter Amir avec vos révélations, dit Tania.

— Pourquoi pas? répondit Gordini. Pourquoi ne pas le faire tout de suite, d'ailleurs?

Bernard considéra cette possibilité un moment, puis se décida.

— D'accord, dit-il. Tania, demande-lui de venir ici.

— Maintenant?

— Oui.

Tania ne bougea pas pendant un moment. Elle avait voulu reporter la discussion afin de pouvoir réfléchir, mais Gordini avait précipité les choses. Elle se leva, décrocha le téléphone et appela Amir, lui demandant de venir la voir immédiatement.

Amir se présenta cinq minutes plus tard. Il fut surpris de constater la présence de Pietro Gordini, qu'il avait rencontré à leur départ de Colombie. Tania le fit asseoir.

— Amir, commença Bernard, nous venons d'apprendre votre lien avec la CIA.

Amir ne réagit pas. Il regardait Bernard.

— Nous savons aussi que l'assassinat de Robert Fixx était un meurtre commandé par la CIA, ajouta-t-il. Enfin, la CIA projette apparemment la disparition de Tania.

— Quoi? dit Amir, étonné.

— Vous m'avez parfaitement compris, reprit Bernard.

Tania prit la parole.

— Amir, c'est vrai?

Amir la regarda sans sourciller.

— Je suis en effet un agent de la CIA, Tania. Mais la CIA ne planifie pas votre disparition. Mon travail ne consiste qu'à informer l'agence. Pour des fins de sécurité nationale.

— La CIA a bien un plan d'élimination du Trust Tania Fixx et de madame Fixx, monsieur Sharouf, intervint Gordini. Peut-être ces détails ne vous ont-ils pas été communiqués.

Amir était habitué à réagir rapidement.

— Tania, je vous donne ma démission. Je ne crois plus être en mesure de continuer mon travail avec vous. Je vais quitter l'hôtel immédiatement.

Il se leva et se dirigea vers la porte.

Tania le rappela.

— Amir, revenez vous asseoir un moment.

Il s'arrêta près de la porte et ne bougea pas.

— Qu'avez-vous l'intention de faire à présent? dit-elle.

— Avertir mon supérieur d'abord, puis retourner aux États-Unis, Tania, à moins d'instructions contraires.

Il reprit après un court silence:

— Je dois rejoindre mon service, Tania. Autrement, je ne sais pas ce qui pourrait m'arriver.

— La CIA a le bras long, madame Fixx, dit Gordini. Monsieur Sharouf bénéficie probablement d'une identité le mettant à l'abri d'un passé tumultueux. La CIA le contrôle. Il a raison.

Amir ne répondit pas. Il ouvrit la porte, regarda Tania une dernière fois, et sortit.

Bernard Dunn et Pietro Gordini se retirèrent ensemble pour organiser le remplacement d'Amir Sharouf par une personne à la charge de l'envoyé du Conseil Pontifical. Il était tard, les deux hommes décidèrent de se rencontrer de nouveau après les visites des hôpitaux le lendemain.

Pendant ce temps, Tania, complètement bouleversée par la rapidité de ces événements, informait Louise de ce qui venait de se produire.

Chapitre 21

Amir quitta l'hôtel King David le lendemain seulement, au petit matin. En sortant de sa rencontre avec Tania, la veille, il avait communiqué avec le Mentor par téléphone. Ce dernier terminait son lunch, à Washington. Amir lui indiqua simplement que le TTX avait découvert son rôle dans la « neutralisation » de Robert Fixx et auprès de l'agence. Le Mentor le questionna un bon moment sur la façon dont cette information avait été découverte. Amir répéta que Pietro Gordini, du Vatican, était l'informateur et qu'il le soupçonnait d'avoir déjà mis un de ses hommes au service de Tania Fixx et du TTF pour le remplacer.

Le Mentor demanda à Amir de ne pas rentrer aux États-Unis, de demeurer disponible et de ne plus se préoccuper du TTF. On le contacterait sous peu.

Amir s'était couché amer et frustré. Il se réveilla après quelques heures de repos, fit ses bagages et quitta l'hôtel, mentionnant à l'agent de sécurité en service à l'étage qu'il avait un rendez-vous en préparation de la prochaine étape du voyage.

Il prit un taxi qui le déposa à l'aéroport Ben Gurion une heure plus tard. Il acheta un aller simple vers Tunis, sur un vol dont le départ était prévu pour 9 h. Il était 7 h seulement. En attendant, Amir s'installa devant un café et un journal.

Au même moment, Bernard rencontrait le remplaçant d'Amir, Beppi Panetto, qui était accompagné de Pietro Gordini.

— Beppi est au service du Conseil Pontifical Justice et Paix depuis douze ans, Bernard. C'est un expert en sécurité et il prendra immédiatement en charge le personnel affecté à vos déplacements. Je lui ai demandé de prendre quelques personnes additionnelles avec lui pour encadrer votre propre personnel.

Beppi Panetto était un grand gaillard châtain dans la trentaine, à l'allure athlétique, portant veston et cravate. Il travaillait en fait pour la Sainte Alliance, un service secret du Vatican s'apparentant de près à la CIA dans ses fonctions. Son patron n'était pas réellement Pietro Gordini ni quelqu'un du Conseil Pontifical Justice et Paix, mais un haut gradé religieux au Vatican.

Officiellement, la Sainte Alliance n'existait pas. Pratiquement, elle était partout. Depuis des siècles.

Bernard renseigna rapidement Panetto sur les visites prévues pour la journée et les responsabilités qu'il aurait à assumer. Il devait lui faire confiance. Pour la deuxième fois en quelques mois, Pietro Gordini apparaissait comme un sauveur de dernière instance, et l'urgence du moment ne permettait pas de mettre en doute ou de vérifier les solutions qu'il proposait.

On présenta Beppi Panetto au personnel de sécurité comme leur nouveau patron, en indiquant qu'Amir avait dû quitter précipitamment la veille pour des raisons personnelles et familiales, ce qui suscita beaucoup d'incrédulité. Panetto rencontra Tania à sa chambre, et Gordini retourna à ses activités.

Deux heures plus tard, Tania, le personnel de sécurité et l'escorte des visites aux malades étaient prêts. Lorsqu'ils arrivèrent dans le hall de l'hôtel, tous furent surpris de constater qu'il y avait foule et que des équipes de reportages télévisés étaient sur place. Entourée de ses gardes de sécurité, sous les applaudissements et les bravos de la foule, l'escorte se dirigea rapidement vers l'extérieur où le minibus rouge et les deux voitures blanches attendaient.

Le trajet vers l'hôpital Saint-Louis ne prit que deux ou trois minutes, l'établissement se trouvant à quelques quadrilatères seulement de l'hôtel, tout près des murs de la vieille ville. Plusieurs véhicules les avaient suivis ainsi que de nombreuses personnes à pied. Dès leur arrivée, Tania et son cortège furent entourés, et les gardes de sécurité, Beppi Panetto en tête, durent rapidement intervenir. Mais il n'y eut pas de bousculade. Les gens étaient curieux mais calmes. Juste devant l'hôpital, le cortège, qui se déplaçait en chantant selon son habitude, fut accueilli par un prêtre entouré de religieuses. L'escorte s'arrêta momentanément. Le prêtre et les religieuses entonnèrent alors le chant des jeunes gens, qui le reprirent en chœur. Puis tout ce monde pénétra à l'intérieur de l'hôpital. Toute cette scène fut abondamment filmée par la télévision.

La visite des malades prit une heure trente. Au moment du départ, le prêtre et les religieuses attendaient l'escorte dans le hall de l'hôpital. Ils se placèrent en avant et entonnèrent encore une fois le chant des jeunes gens, avec ces derniers. Jusqu'aux voitures qui attendaient. Sous le regard de la foule, silencieuse, et des caméras.

On se rendit ensuite à l'hôpital Herzog, un trajet de plus de trente minutes à cause du trafic et du rythme de déplacement qu'imposaient les motos et voitures des policiers affectés à la bonne marche de la visite. Juste avant la rencontre des malades, la direction de l'hôpital servit un léger repas dans une des salles de réunion, permettant ainsi au personnel administratif et à quelques médecins d'échanger brièvement avec Tania. La visite dura au total deux heures et le départ se fit sous les applaudissements de la foule.

Le dernier arrêt était l'hôpital Alyn pour enfants. Le trajet, normalement d'une quinzaine de minutes, prit plus d'une demi-heure. Comme toujours, beaucoup de gens guettaient l'arrivée du cortège et saluèrent son départ.

La journée se termina par le retour à l'hôtel King David vers 17 h, où les attendaient encore de nombreux curieux et les caméras de télévision. Ainsi qu'une invitation de Pietro Gordini.

Gordini avait organisé un dîner dans un salon de l'hôtel pour Bernard, Louise, Tania, Panetto et lui-même. Ce rendez-vous, prévu à

20 h, avait pour prétexte de mieux faire connaissance avec Beppi Panetto et de discuter du futur immédiat de Tania et du TTF. Compte tenu de la rapidité des arrangements des dernières heures, cette proposition fut jugée très à propos, même si Tania se méfiait de tout ce qui était relié à Gordini.

À 20 h donc, gardé par deux agents de sécurité placés à la porte du salon, le petit groupe prenait l'apéritif. Debout, Tania échangeait avec Panetto, tandis que Louise, Bernard et Gordini conversaient. On prit enfin place à la table pour le repas. La conversation tournait surtout autour de Panetto et de ses antécédents.

Beppi Panetto venait d'une famille moyenne de Milan et deux de ses oncles étaient prêtres. Ces derniers avaient bien essayé de le diriger vers le sacerdoce, mais Beppi, s'intéressant davantage au sport, souhaitait plutôt faire partie de l'équipe nationale de football. Quoique doué, il n'avait pas réussi à se qualifier, mais avait fait un début de carrière dans une équipe secondaire du nord de l'Italie. Après une blessure assez sévère, il fut recruté par les services d'ordre du Vatican à l'âge de vingt-deux ans et affecté au Conseil Pontifical Justice et Paix.

Ça, c'était l'histoire officielle, vérifiable. La réalité était tout autre: Beppi Panetto s'appelait réellement Salvatore Moretti. Moine ayant fait vœu d'obéissance au Saint-Siège, il avait été formé et entraîné pour faire partie des services secrets du Vatican.

Au dessert, Gordini aborda le sujet réel qui l'intéressait.

— Amir a-t-il quitté l'hôtel tel qu'il nous l'a dit? demanda-t-il en s'adressant à Bernard.

— Oui, on m'a dit qu'il est parti très tôt ce matin.

— Vous savez où il se trouve?

— Non, répondit Bernard. Il n'a parlé à personne.

— Il y a probablement d'autres agents de la CIA autour de vous, intervint Panetto. C'est leur façon d'agir.

La conversation s'arrêta un moment. Puis Gordini reprit:

— Sachant que vous connaissez le rôle qu'a joué Amir, la CIA peut envisager des mesures extrêmes. Et votre séjour à l'étranger peut représenter une occasion de passer à l'action. Il serait facile d'attribuer un attentat à des extrémistes musulmans. Il serait même habile qu'ils se servent de fanatiques pour arriver à leurs fins.

— Pourquoi la CIA prendrait-elle de telles mesures, monsieur Gordini? Le TTF est une organisation d'aide aux malades. Qu'est-ce que la politique vient faire dans tout ça? demanda Tania.

— Tout, madame, répliqua Gordini. Votre existence même représente une menace pour les autorités. Vous pourriez prêcher un message révolutionnaire, religieux ou non, et il est fort probable que l'on se rallierait à votre cause. Votre disparition résoudrait donc un problème potentiel futur. Pensez aux assassinats des dernières décennies: John Kennedy, Bob Kennedy, Martin Luther King et d'autres.

— Vous exagérez, monsieur Gordini, dit Louise.

— Peut-être, madame, répondit Gordini, mais nous devons tous admettre qu'un risque existe. Un grand risque compte tenu des informations que nous possédons sur les plans de la CIA vous concernant.

Personne ne disait mot. Gordini enchaîna:

— Mes supérieurs et moi pensons que vous auriez avantage à écourter ce voyage et à vous réfugier dans un lieu sûr.

— Écourter le voyage, monsieur Gordini? demanda Tania, incrédule.

Ce à quoi Bernard ajouta:

— Vous n'allez pas un peu trop loin, monsieur Gordini?

— Non. Un attentat est trop facile. Beppi et ses hommes ne pourraient intervenir si un commando suicide décidait de vous abattre. Il y a trop de déplacements publics.

Il y eut un silence.

— Vous parlez d'un lieu sûr. Où? demanda Tania.

— Le seul qui puisse vous mettre complètement à l'abri, madame Fixx. Le Vatican.

— Le Vatican? réagit immédiatement Bernard.

Il comprenait bien, maintenant, la stratégie de Pietro Gordini. Il réalisait aussi, cependant, que l'homme du Vatican avait jusqu'à un certain point raison. Si la CIA avait élaboré un plan d'élimination du TTF, il y avait danger. Ce danger existerait constamment à moins que le TTF, et Tania, soient complètement contrôlés par la CIA. Une forme de prison, en fait.

— Il n'est peut-être pas nécessaire que vous, Bernard, et Louise, acceptiez cette invitation. Seuls, c'est-à-dire sans madame Fixx, vous ne représentez pas un danger. Et vos familles vous attendent, évidemment, ajouta Gordini.

— Madame Fixx, par contre, continua-t-il, pourrait accepter une invitation de se rendre immédiatement à Rome, auprès du Saint-Siège, pour une mission urgente et spéciale.

Il y eut un long silence pendant lequel on se servit du café.

— Beyrouth et Tripoli nous attendent, dit Tania, tout bas.

Bernard cherchait une solution. Si Tania se réfugiait au Vatican, l'en extirper ne serait sans doute pas facile. À moins de négocier un protocole avec la CIA pendant qu'elle serait à l'abri. Il y avait aussi L'Agneau lumineux de Dieu, même s'il ne voyait aucune solution de ce côté pour le moment. Il avait besoin de temps et il fallait que Tania soit en sûreté.

— Tania, monsieur Gordini a raison, dit finalement Bernard. Louise et moi allons retourner aux États-Unis et prendre le temps de mieux étudier toute cette situation. Nous resterons évidemment en contact avec monsieur Gordini. Je crois que vous devez accepter son invitation.

Tania était bouleversée et ne savait comment réagir. Elle faisait intrinsèquement confiance à Bernard, et s'il jugeait qu'il valait mieux accepter l'offre de se réfugier au Vatican, ce devait être la meilleure solution.

Après un moment, Louise ajouta:

— Je vais bien sûr aviser nos contacts à Beyrouth et Tripoli de ce contretemps, Tania. Je vais aussi organiser le départ plus rapide que prévu vers Boston.

— Nous avons évidemment nos propres moyens de transport vers le Vatican, madame Fixx, précisa Gordini.

∞

Amir était arrivé à Tunis à 18 h 30 heure locale, après deux escales et des vols inconfortables. Il se rendit immédiatement à la Maison de l'Agneau, à Oued Ellil, où, s'identifiant comme un membre du TTF en mission spéciale, il essaya de rencontrer Yossef, qu'il connaissait pour l'avoir vu à Boston. Il était plus de 20 h, mais l'assistante de Yossef,

Jasmine, qui habitait à la Maison de l'Agneau et s'occupait des affaires de Yossef, le reconnut. Yossef n'était pas à Oued Ellil et ne devait revenir que le lendemain. On lui offrit le gîte pour la nuit, qu'il accepta.

TROISIÈME PARTIE

Dans le christianisme, ni la morale, ni la religion n'entre en contact avec la réalité.

– Frédéric Nietzsche

Je crois en Dieu. Mais je l'appelle Nature.

– Frank Lloyd Wright

Chapitre 22

Amir avait rencontré Yossef le lendemain matin après son arrivée. Un mois déjà s'était écoulé. Il lui avait tout raconté: son passé de militaire condamné, son entrée au sein de la CIA, l'exécution de Robert Fixx, sa rencontre avec Tania Fixx et son travail auprès d'elle jusqu'à ce que le TTF découvre son association avec la CIA. Yossef le questionna beaucoup sur le rôle du Vatican dans la libération de Tania en Colombie et sur l'information qui avait mené à son départ du TTF.

Amir était déçu de la CIA. L'agence l'avait sauvé, mais le cynisme de ses agissements, du moins de ce qu'il pouvait en entrevoir, l'avait désabusé. Se sachant à la merci de l'agence, il avait cherché refuge auprès de l'Agneau lumineux de Dieu. À ses yeux, Yossef et son organisation représentaient une avenue d'action d'abord loin des yeux de l'agence, ensuite mieux en accord avec ce qu'il pouvait comprendre du sens d'une vie humaine.

Yossef l'avait accueilli avec joie. Sachant qu'Amir représentait une source de connaissances et d'expériences intéressantes, il l'avait intégré à son service de sécurité.

Amir s'était rapidement adapté à ses nouvelles fonctions. Il avait aussi modifié son apparence: il portait maintenant la barbe et s'habillait à la façon arabe. Enfin, il se faisait appeler Amir Mahmoud. Il espérait surtout s'être échappé des tentacules de la CIA.

Tania résidait au Vatican depuis un mois. Son départ de Jérusalem, en pleine nuit, escortée par des membres du clergé romain à bord d'un avion privé, n'avait causé aucun émoi. Personne ne s'en était vraiment rendu compte.

Elle logeait dans un petit appartement confortable et agréable de l'hospice Sainte-Marthe, un hôtel situé dans la partie ouest de la cité tout près de la basilique Saint-Pierre, à l'abri des regards et des foules. Elle prenait tous ses repas à l'hospice.

Libre de se promener partout dans la cité, elle profitait des jardins, lisait, se tenait au courant de ce qui se passait dans le monde. Mais elle se sentait prisonnière. Elle vivait en recluse, cachée pour sa propre sécurité. Elle en souffrait cruellement, car sa situation lui rappelait les premiers mois qui avaient suivi son éveil du coma qui l'avait terrassée.

En contact avec le TTF, elle en parlait souvent avec Louise et Bernard, qui ne pouvaient que lui recommander la patience.

Jusqu'à présent, deux interventions lui avaient été demandées. La première auprès d'un jeune cardinal noir souffrant d'un cancer du poumon et la deuxième auprès d'une dame souffrant d'un cancer du sein. Elle n'avait pas demandé de détails sur ces malades, qu'on lui avait amenés à son appartement.

Le TTF n'était pas demeuré inactif. Dès son retour aux États-Unis, Bernard avait accordé plusieurs entrevues afin d'expliquer la « mission » spéciale de Tania auprès du Saint-Siège, mission qui devait durer quelques mois, tout au plus. Entre-temps, il avait essayé de contacter des responsables de la CIA au sujet d'Amir Sharouf. Sans succès. Chaque demande, chaque entrevue se terminait par un laconique « nous allons analyser la situation et vous rappeler dès que possible ». Impossible de joindre un réel preneur de décision.

Louise préconisait une action médiatique susceptible de faire avancer leur dossier. Son approche consistait à dévoiler à la presse écrite et télévisée les intentions criminelles de la CIA envers Tania et le TTF, que l'intervention des services de renseignements du Vatican et l'offre d'asile du Saint-Siège avaient vraisemblablement compromises. Elle souhaitait cependant l'aval du Vatican pour cette opération médiatique. Mais Bernard hésitait. Le Vatican n'accepterait pas, selon lui. Une telle initiative pourrait s'avérer explosive sur le plan politique. Et le Pentagone pourrait réagir de façon non souhaitable au détriment du TTF et de Tania. On décida de ne pas donner suite à cette proposition. Pour l'instant du moins.

Pietro Gordini n'était pas resté inactif non plus. Il avait réussi là où Bernard Dunn avait échoué: ses informateurs et ses agents de la Sainte Alliance avaient identifié le Mentor et le Patron, ainsi que la façon de les joindre.

Il était à Washington depuis deux jours, accompagné de Beppi Panetto. Il appela le Mentor, s'identifiant comme étant Amir Sharouf. Le Mentor prit évidemment l'appel.

— Monsieur, je m'appelle Pietro Gordini, du Vatican. Je connais bien Amir Sharouf, ou plutôt Mahmoud Mishra, vous vous souvenez sûrement de ce nom. Je désire vous rencontrer.

Le Mentor nota « Pietro Gordini, Vatican » dans un carnet sur son bureau.

— Si vous connaissez bien Amir, où se trouve-t-il actuellement?

Gordini ne répondit pas et réitéra sa demande.

— Je désire vous rencontrer, monsieur. Dites-moi quand et où.

Le Mentor ne prit que quelques secondes de réflexion.

— Demain à 10 h, monsieur Gordini. Voici l'adresse de mon bureau.

Gordini nota l'adresse et remercia le Mentor. Puis il appela immédiatement le Patron, en lui adressant exactement le même message.

Le Patron réagit différemment.

— De qui tenez-vous mes coordonnées, monsieur?

— Cela n'a aucune importance. Je vous rappelle que je désire vous rencontrer. Je vais en fait vous fixer immédiatement un rendez-vous: demain à 10 h, au bureau du Mentor. Soyez-y, monsieur. Le Mentor y sera. Bonne journée.

Et il raccrocha brusquement.

Les deux visiteurs se présentèrent à l'heure au bureau du Mentor. S'il y avait des gardes de sécurité, ils étaient invisibles. Or, il y en avait partout. Depuis leur entrée dans le bâtiment où se trouvait le bureau du Mentor, ils avaient sans le savoir franchi trois postes de contrôle. Comme ils étaient sans armes, il n'y avait pas eu de problème.

Le Patron et le Mentor les attendaient, deux hommes élégants, vêtus de costumes sombres et de cravates à la mode. Gordini présuma que la personne plus âgée était le Patron et se tourna vers lui:

— Bonjour, monsieur le Patron, comme on vous appelle. Je suis heureux que vous ayez pu vous libérer.

— Je suis le Mentor. Monsieur Gordini, je présume? dit-il en remarquant le col romain que portait son interlocuteur. Voici le Patron, ajouta-t-il en lui présentant l'homme dans la trentaine qui se tenait près de lui.

Gordini présenta Panetto en mentionnant son poste exact, soit agent de sécurité à son service. Le Mentor leur offrit du café, qu'ils refusèrent. Tous prirent place autour d'une table ronde, en face du bureau du Mentor.

— Nous vous écoutons, monsieur, dit le Mentor.

— Je représente le Conseil Pontifical Justice et Paix, monsieur. Nous avons des relations dans plusieurs parties du monde, comme vous le savez peut-être. Nous avons rencontré Amir Sharouf lors de sa libération des griffes de Jesus Esteban, en Colombie.

— Cette libération vous a coûté cher, selon nos renseignements.

— Si vous voulez. J'estime que vous n'aviez pas les ressources disponibles à ce moment, car vous en auriez fait autant, je présume.

— Nous n'avions aucune entrée auprès de Jesus Esteban.

— Je sais, dit Gordini.

Il poursuivit:

— Vous avez investi beaucoup d'efforts afin de contrôler les agissements de madame Fixx, monsieur.

Ni le Mentor ni le Patron ne répondirent.

— Représente-t-elle un risque mesuré?

Le Patron prit alors la parole.

— Un risque potentiel, monsieur Gordini. Mais substantiel. Ses pouvoirs, moins bien utilisés, mettraient en danger la stabilité politique et économique des États-Unis.

— Nous avions compris cette position.

— N'avez-vous pas adopté une position similaire, monsieur Gordini ? demanda le Patron.

— En effet, monsieur. En partie du moins. Sauf que le Saint-Siège peut bénéficier des pouvoirs de madame Fixx. Ce qui n'est pas votre cas.

Le Patron ne répondit pas.

— Mes supérieurs aimeraient que vos services cessent complètement de se préoccuper de Tania Fixx et Amir Sharouf. Que vos agents soient rappelés, ou que vos plans d'élimination soient annulés.

Le Mentor lui répondit:

— Pour quelle raison, monsieur Gordini?

— Je ne puis répondre à cette question, monsieur.

— Vous vous intéressez aussi à Amir Sharouf?

— Oui. Nous savons bien sûr où il se trouve. Cette information est d'ailleurs probablement entre vos mains aussi. Monsieur Sharouf fait partie de nos plans, monsieur.

— Qu'avez-vous à offrir en échange? reprit le Patron.

— La sécurité de votre pays, dit cyniquement Gordini.

Il marqua une pause, puis reprit:

— Le Vatican gardera madame Fixx sous contrôle. À l'intérieur de ses murs. À jamais.

Le Patron considéra cette offre quelques secondes. Puis il prit une décision.

— Je dois en référer plus haut, monsieur Gordini. Rappelez-moi demain matin.

Lorsque Pietro Gordini fut parti, le Patron indiqua au Mentor qu'ils n'avaient d'autre choix que d'accepter, au moins en apparence, la proposition que l'homme du Vatican venait de leur faire. Tous deux réalisaient que le Saint-Siège infiltrait leur service. Et le fait de savoir que Tania Fixx était gardée au Vatican allégeait leur travail.

Pietro Gordini et Beppi Panetto prirent un vol pour New York le soir même et passèrent la nuit à l'hôtel Marriott près du pont de Brooklyn. Le lendemain matin, Gordini appela le Patron, qui lui confirma son accord. Puis il appela Joseph Samboni, lui indiquant qu'il était de passage à New York pour la journée seulement et qu'il aimerait le rencontrer.

Jos Samboni n'hésita pas et lui proposa un rendez-vous pour le dîner. Une voiture passerait le prendre.

La voiture se présenta à 19 h. Gordini y monta seul, laissant Panetto à l'hôtel. Il fut conduit au même petit restaurant italien qu'à leur première rencontre. Même mise en scène: Jos Samboni l'attendait à une table au fond de la pièce, entouré de gardes du corps assis aux tables près de lui. Aucune autre table n'était occupée.

Samboni était en verve et accueillit Gordini avec effusion, s'enquérant de sa santé, de son travail, de ses relations avec Tania Fixx, bref de tout ce qui lui passait par la tête. Gordini était sur ses gardes, Jos Samboni étant réputé pour avoir plus d'un tour dans son sac.

On servit du vin, puis le dîner. Un peu de pâtes, du veau. Vers la fin du repas, Samboni en vint le premier à l'objet de la rencontre.

— Bon. Vous vouliez me voir, monsieur Gordini?

— Encore une fois, monsieur Samboni, j'ai besoin de vous.

Samboni mangeait.

— Le Trust Tania Fixx, le TTF comme ils se décrivent eux-mêmes, est devenu nuisible à nos intérêts. Nous aurions besoin de votre aide.

— De mon aide?

— Oui. Deux personnes dirigent les opérations du Trust, de Boston: Bernard Dunn et Louise Kennedy. Nous aimerions qu'elles soient éliminées.

— C'est possible. Vous hébergez madame Fixx? Nous n'entendons plus parler d'elle et j'ai appris à la télé qu'elle était en mission au Vatican.

— Elle est effectivement au Vatican, répondit Gordini.

Samboni repoussa son plat et prit un peu de vin.

— Je vais vous rendre ce service, monsieur Gordini. Vous nous serez redevables. J'aurai peut-être besoin de vous ou des services de votre organisation un jour. Je sais que vous serez là, n'est-ce pas, monsieur Gordini?

— Soyez-en assuré, dit Gordini.

Il était de retour à l'hôtel à 22 h et mit Panetto au courant du résultat de sa rencontre. Le lendemain, ils prirent un vol vers Rome en milieu de journée.

Deux jours plus tard, on apprenait que Louise Kennedy, présidente du Trust Tania Fixx, et Bernard Dunn, vice-président du Trust, avaient été atteints par balles devant leur domicile respectif, le matin, à Boston. Les auteurs de ce double attentat avaient fui en automobile et aucun indice ne permettait pour l'instant de comprendre ces actes. On fit quelques allusions aux visites récentes du TTF en Arabie Saoudite et en Israël, sans insister. Madame Kennedy était décédée à son arrivée à l'hôpital, tandis que monsieur Dunn était dans un état critique et on craignait pour sa vie.

Tania apprit cette nouvelle par la télévision. Elle en fut dévastée. Bernard et Louise représentaient les seuls contacts qu'elle avait à l'extérieur du Vatican. Pour la première fois depuis longtemps, elle pleura, de peine, de dépit. Louise Kennedy avait toujours été une gestionnaire efficace, et ses relations avec elle avaient dépassé le cadre des affaires. Quant à Bernard, sa vie était en danger et elle réalisait à quel point cet ami lui était précieux. Avec lui, elle se sentait en sécurité et savait pouvoir compter sur sa loyauté. Si seulement elle pouvait être à son chevet! À quoi lui servait ce don inexplicable si elle ne pouvait s'en servir?

Chapitre 23

Depuis le transfert de Tania au Vatican et l'arrivée d'Amir à la Maison de l'agneau, Yossef déplorait l'occasion perdue de rapprocher le TTF de l'Agneau lumineux de Dieu. Le plan préparé à la rencontre de Boston avait presque été réalisé: les visites de Beyrouth et Tripoli devaient être utilisées pour transmettre un message commun, mais, annulées à la suite des révélations concernant la CIA, il avait avorté.

Yossef était au courant des interventions du Vatican: Amir lui en avait fait part. Ces interventions ne lui semblaient pas de bon augure. À sa connaissance, le Vatican agissait rarement par pur altruisme. Et sa mainmise sur Tania Fixx s'apparentait plus, à ses yeux, à un enlèvement en bonne et due forme qu'à un cas de protection, comme Amir le pensait.

Amir lui avait révélé récemment qu'il possédait le numéro de cellulaire de Tania, mais qu'il n'osait pas l'appeler. Maintenant que des attentats avaient été perpétrés contre Louise Kennedy et Bernard Dunn, Yossef décida d'entrer en contact avec Tania.

Tania n'avait pas de nouvelles de l'Agneau lumineux de Dieu depuis plusieurs semaines. Elle fut d'abord surprise de recevoir cet appel et ne put cacher sa joie d'entendre Yossef. Elle le lui dit, avec effusion.

— Yossef, votre appel ne peut être plus opportun. Vous ne pouvez savoir à quel point la perte de contact avec vous et le TTF m'afflige.

— Les attentats contre Louise Kennedy et Bernard Dunn sont en effet une tragédie, Tania. Et je comprends parfaitement votre indignation, et votre perte, bien sûr.

— Je ne comprends pas ces attaques contre des personnes inoffensives, Yossef. Vraiment, cela me dépasse.

Après avoir sympathisé avec elle, il enchaîna:

— Prévoyez-vous quitter le Vatican bientôt?

— Je ne sais pas.

— Vous ne savez pas?

— Je n'ai pas rencontré la personne qui est mon contact ici depuis plus de deux semaines et cela m'inquiète. On me dit qu'il est à l'étranger.

— Comment se passe votre séjour?

— Tout va bien, Yossef. L'endroit est extrêmement agréable et je suis libre de profiter de tout ce que le Vatican peut offrir à une invitée telle que moi. À l'intérieur des murs de la cité, bien sûr.

— Avez-vous pu aider des malades?

— Très peu. Deux fois seulement. Des personnes qu'on a conduites à mon appartement.

— Tania, ce séjour m'inquiète. Il inquiète aussi Amir.

— Amir? Amir Sharouf?

— Oui, Tania. Il est ici.

— Yossef, Amir est dangereux! C'est un agent de la CIA!

— Je sais. Je sais tout, Tania. Amir s'est ni plus ni moins réfugié ici après son départ de Jérusalem et il m'a tout raconté. Il est très attaché à notre cause et fait partie de nos services de sécurité. Nous espérons que la CIA l'a oublié, ou l'oubliera bientôt. Mais je disais que votre séjour nous inquiète. Nous croyons que vous avez été enlevée, Tania.

— Enlevée? Pourquoi?

— Ce qu'Amir m'a raconté de monsieur Gordini est surprenant. Nous ne comprenons pas les motivations derrière les gestes qu'il a faits.

Tania réfléchissait et ne répondit pas. Après Jérusalem, elle soupçonnait aussi une manipulation de Pietro Gordini. Mais jusqu'à maintenant, les intentions de cet homme restaient obscures.

— Avez-vous tenté de quitter le Vatican depuis votre arrivée? demanda Yossef.

— Non. Bernard essayait d'éclaircir la situation aux États-Unis avec la CIA et nous attendions les résultats de son travail.

— Est-ce que vos communications sont contrôlées?

— Mais non, voyons! Je suis tout à fait libre de parler à qui que ce soit!

— Faites attention, Tania. Soyez sur vos gardes. Et n'hésitez pas à m'appeler. En tout temps, Tania. Voici mes coordonnées.

Tania ne savait pas que plusieurs demandes d'information de la part de journalistes, en particulier de CNN et Al Jazeera, étaient restées sans réponses ou avaient été traitées de façon cavalière, le Vatican prétextant l'impossibilité de fournir les informations demandées. CNN en particulier avait fait part de ces difficultés sur les ondes, affirmant même que le Vatican bloquait toute communication avec Tania Fixx.

À la suite de sa conversation avec Yossef, Tania voulut rencontrer Pietro Gordini. À plusieurs reprises, elle s'adressa aux autorités à l'hospice Sainte-Marthe, sans résultat. On lui promettait d'informer le Conseil Pontifical Justice et Paix de sa demande, mais il n'y avait pas de réponse. On était maintenant en novembre et son séjour ressemblait de plus en plus à une détention. Vêtue d'un long manteau et cachée sous un capuchon, elle essaya un jour de quitter la cité sous prétexte de se rendre à un rendez-vous, mais elle fut arrêtée par les gardes suisses et ramenée à l'hospice. Elle réalisa alors qu'elle était en prison et que Pietro Gordini les avait manipulés.

Quelques jours plus tard, le cardinal D'Albini, président du Conseil Pontifical Justice et Paix, en fait le vieux monsieur qui était le patron de Pietro Gordini, demanda à la voir. Tania le reçut dans le petit salon de son appartement de l'hospice. Elle croyait que c'était un personnage important et avait revêtu pour l'occasion un tailleur bleu foncé à manches longues.

Monseigneur D'Albini se présenta, portant, comme toujours, sa soutane et ses insignes rouges de cardinal. Ridé, un peu voûté, il ne montra aucune surprise lorsque Tania, resplendissante dans sa luminosité, l'accueillit. Tania lui offrit un siège, de l'eau.

Sans préambule, le cardinal l'informa que Pietro Gordini était à l'étranger pour un long séjour et que dorénavant il s'occuperait lui-même de toute demande qu'elle pourrait formuler. Ces demandes devraient d'abord être remises à son assistant, un certain Aldo Nardi, qui les lui présenterait. Il extirpa une enveloppe de sa soutane, laquelle contenait les coordonnées du secrétaire Nardi.

Tania n'avait pas eu le temps de prononcer une seule parole. Le cardinal continua, sans sourciller:

— Mais ces détails ne sont pas la raison réelle de ma visite, madame Fixx. Ils auraient d'ailleurs pu vous être acheminés par lettre, bien sûr. Vous étiez très impliquée auprès des malades, n'est ce pas?

— Effectivement, monseigneur. Je regrette d'ailleurs de ne plus pouvoir mettre mes dons au service de ceux et celles qui en auraient besoin depuis que je suis ici.

— Vous seriez donc heureuse de reprendre de telles activités?

— Mais bien sûr. Cela fait partie de la mission que je m'étais donnée.

— Les problèmes concernant votre sécurité nous empêchent cependant d'envisager des actions du type de celles que vous avez réalisées jusqu'à récemment. Mais il y a une façon de contourner cette difficulté. Nous sommes habitués à faire affaire à de grandes foules à l'intérieur de la basilique Saint-Pierre. Nous pourrions envisager l'utilisation de la basilique.

Bien que méfiante et aux aguets, Tania envisagea cette solution comme une possibilité de renouer avec sa mission. De toute façon, elle n'avait pas d'autre choix: tant qu'elle serait sous le contrôle du Vatican, aussi bien profiter de toute occasion d'exercer ses pouvoirs. Pour elle, une basilique ou un hôpital ne représentait qu'un lieu de rencontre avec des personnes qui avaient besoin d'elle.

— La basilique peut-elle servir à de telles fins? demanda-t-elle.

— À certaines conditions. La basilique est un lieu de culte, vous le savez sûrement. Pour autant que nous puissions respecter cette dimension dans l'utilisation de vos dons, comme vous dites, je suis persuadé que la chose est possible.

Tania attendit que le cardinal termine sa pensée.

— Seriez-vous d'accord pour incorporer votre manifestation à un cérémonial, approprié bien sûr, reprit le cardinal.

— Je crois que oui, monseigneur. J'aimerais évidemment être mise au courant du cérémonial en question.

— Mais cela va de soi, madame Fixx.

Le cardinal se leva et se dirigea vers la porte.

— Venez me voir dans deux jours. J'enverrai un garde vous prendre à 14 h.

Sur ce, il la salua, lui présenta son anneau pour qu'elle le baise, et quitta l'appartement.

Tania n'avait pu lui parler de ses préoccupations concernant son séjour, le cardinal ne lui avait pas laissé l'occasion de s'exprimer réellement.

Deux jours plus tard, à 14 h, un garde suisse vint la chercher à son appartement de l'hospice Sainte-Marthe. Tania portait son même tailleur bleu et un manteau léger, car il y avait apparence de pluie. Il la conduisit du côté opposé de la cité, dans un immeuble qui ne lui était pas accessible lors de ses promenades. Un jeune homme en veston sombre et col romain attendait à la porte. Il parut surpris en apercevant Tania de près, puis se présenta en tendant la main à Tania.

— Aldo Nardi, dit-il. Si vous voulez bien me suivre.

Ils montèrent deux étages et suivirent un corridor jusqu'à une grande pièce meublée d'un énorme bureau en bois massif derrière lequel se trouvait une armoire qui servait de bibliothèque. Il y avait aussi quatre chaises de velours rouge et une table de conférence entourée de huit fauteuils également rouges. De superbes tableaux ornaient les murs. Le cardinal D'Albini les attendait.

Il se leva, contourna son bureau, présenta son anneau pour que Tania le baise, puis la dirigea vers l'une des chaises rouges près du bureau. Il prit place sur la chaise à côté d'elle. Aldo Nardi quitta la pièce et referma la porte.

Le cardinal, qui ne s'embarrassait pas de longs préambules, prit la parole.

— Nous pensons que vous pourriez rencontrer des malades et des fidèles de deux façons. Il serait préférable que vous puissiez recevoir les personnes plus importantes en salon privé, en audience si vous voulez. Nous vous fournirions la liste des personnes intéressées à vous rencontrer afin de pouvoir en discuter avec vous au préalable. Quant aux autres personnes ou malades, la basilique servirait de lieu d'accueil. Évidemment, les entrées et sorties de l'édifice seraient contrôlées. Nous avons pensé à un système similaire à celui utilisé dans les aéroports. Les visites se feraient immédiatement à la suite d'un office religieux. Une messe, par exemple.

Le cardinal marqua une pause.

— Quand commenceraient ces activités, monseigneur? demanda Tania.

— Les audiences privées pourraient débuter d'ici quelques jours. Quant aux visites dans la basilique, d'ici deux semaines, probablement. De façon modeste d'abord, afin de bien roder le cérémonial et d'être prêt à célébrer Noël de façon particulièrement mystique, cette année.

Tania profita de la pause du cardinal pour enfin s'exprimer.

— Monseigneur, vous présumez que je serai encore ici à Noël.

— Mais évidemment, mon enfant. Nous avons besoin de vous. Et vous avez besoin de nous. Votre sécurité en dépend. Songez que la CIA a commandé d'assassiner vos collaborateurs du Trust qui porte votre nom.

Tania releva cette allusion et baissa la tête. Puis elle reprit:

— Je ne crois pas que je serai ici si longtemps, monseigneur. Je m'en excuse.

Le cardinal ne se préoccupa pas outre mesure de cette remarque. Il se leva, mentionnant rapidement:

— Nous verrons, mon enfant. Nous en reparlerons. Aldo s'occupera de discuter des détails des audiences avec vous. C'est lui qui vous ramènera à l'hospice. Veuillez d'ailleurs lui soumettre toute requête, madame.

Il fit signe à Tania de le suivre, se dirigea vers la porte, l'ouvrit, offrit son anneau pour qu'elle le baise, la prit gentiment par le bras et la poussa littéralement dehors.

L'entrevue avait duré à peine dix minutes.

Aldo Nardi l'attendait, assis sur une chaise dans le corridor. À sa vue, il se leva.

— Je vais vous reconduire à votre appartement, madame Fixx.

Il lui emboîta le pas. Tania fulminait, incapable de dissimuler sa colère.

Chemin faisant, Nardi lui dit:

— Nous avons déjà quelques demandes pour des audiences privées. Aimeriez-vous en discuter?

— Où se tiendront ces audiences, monsieur Nardi? demanda sèchement Tania.

— L'hospice possède un salon qui serait disponible pour cette activité.

— Combien de demandes avez-vous reçues?

— Beaucoup, madame Fixx. Mais nous les avons triées et vingt personnes ont été sélectionnées. J'ai les noms avec moi.

Il sortit une feuille de papier de la poche de son veston et la lui remit. Tania la consulta tout en marchant. Elle remarqua qu'au moins dix des noms étaient italiens, les autres étant des noms francophones ou anglophones. Tous des inconnus. Et on ne l'avait pas consultée. Elle remit brutalement la liste dans les mains de Nardi.

— J'aimerais pouvoir consulter la liste initiale des demandes avant de prendre une décision. Comment ces demandes vous sont-elles parvenues? A-t-on fait de la publicité?

— Votre présence au Vatican n'est pas un secret, madame. Nous recevons constamment du courrier à votre sujet.

— Ce courrier m'est-il adressé?

— Je ne puis vous répondre, madame. Le courrier est manipulé par nos services postaux et remis aux destinataires quotidiennement. Vous ne recevez pas de courrier?

— Non.

— Je vais en aviser monseigneur D'Albini. Concernant la liste des demandes, nous pourrions l'étudier demain matin. Je pourrais être à votre appartement à 8 h 30.

Tania se tut et le reste du trajet se fit en silence.

Le lendemain, Aldo Nardi se présenta avec son ordinateur portable. Installés au petit salon de l'appartement de Tania, ils consultèrent tous deux la liste des personnes qui avaient manifesté le désir de la rencontrer. Tania s'était calmée, réalisant qu'Aldo Nardi n'était qu'un subalterne exécutant son travail.

Il y avait plus de cinq cents noms, des gens de partout, des malades condamnés, des personnes influentes. Tania en sélectionna vingt, basés sur ses propres critères, qu'elle expliqua d'ailleurs à Nardi. Celui-ci ne dit mot, nota les sélections et, lorsqu'ils eurent terminé, quitta l'appartement en disant:

— Nous allons faire notre possible, madame Fixx. Plusieurs de vos choix sont des personnes qui devront effectuer un long déplacement pour nous rejoindre. Cela peut affecter la date de la première audience. Je vous tiens donc au courant des développements.

Vers la fin de l'après-midi, Nardi téléphona à Tania pour lui indiquer que malheureusement, plusieurs des personnes choisies le matin même ne pourraient se rendre rapidement au Vatican et qu'un choix final avait dû être effectué basé sur la disponibilité des personnes concernées. Il lui donna leurs noms. Tania en reconnut trois qu'elle avait choisis. Les dix noms italiens étaient toujours sur la liste finale. Enfin, Nardi l'informa que la première audience aurait lieu dans quatre jours. Un dimanche.

Tania, furieuse, comprit qu'elle était réellement manipulée. Yossef lui avait donné son numéro de cellulaire, et, sans réfléchir, elle prit son appareil et l'appela. Elle devait se confier à quelqu'un.

Yossef l'écouta attentivement, puis lui demanda:

— Pouvez-vous recevoir des visiteurs, je veux dire vous, personnellement?

— Yossef, je n'en ai même pas vérifié la possibilité. Mais je crois que oui. La situation ne s'est tout simplement pas présentée.

— Accepteriez-vous de revoir Amir?

— Amir Sharouf? Vous êtes sérieux, Yossef?

— Tout à fait. Amir est méconnaissable. Sa barbe, ses cheveux longs, ses lunettes et ses vêtements le déguisent parfaitement.

— Ce n'est pas ce que je veux dire, Yossef.

— Je sais, Tania. Mais Amir possède l'entraînement et la motivation dont nous avons besoin pour établir un lien physique avec vous. Ayez confiance en moi, Tania.

— En admettant que j'accepte de le revoir, sous quel prétexte pourrait-il se présenter ici ?

— Il représenterait un dirigeant de l'Agneau lumineux de Dieu, tout simplement.

— Laissez-moi y réfléchir, Yossef. Je vous recontacterai lorsque je serai plus calme.

À peine quelques heures plus tard, elle reçut un appel de Bernard Dunn.

Elle en fut bouleversée. Bernard était vivant, et malgré une difficulté évidente à parler, il se portait relativement bien ! Elle pleurait de joie, ce qui toucha Bernard qui, en bon ami sincère, essayait de la rassurer, doucement.

Elle ne lui raconta pas en détail les derniers événements, se bornant à lui confier que sa situation n'avait pas changé, qu'elle se sentait isolée, à la merci des décisions de ses hôtes.

Ils s'entendirent pour se reparler dans quelques jours, lorsque Bernard irait un peu mieux.

Bernard vivant, c'était un soulagement, une bouée de sauvetage qu'on lui jetait.

Chapitre 24

Bernard Dunn était hospitalisé depuis treize jours. Il avait été atteint de deux balles. Une au cou, une blessure qui avait failli le tuer, et la deuxième au bras gauche. La guérison progressait bien. La blessure au cou affectait encore son élocution, mais selon ses médecins, il retrouverait ses pleins moyens d'ici un mois tout au plus. Autrement il pouvait se déplacer, lire, bref fonctionner. Sa chambre, confortable selon les normes hospitalières courantes, était déjà encombrée de livres, de journaux et de documents. Un policier était encore posté à sa porte pour fins de sécurité. Bernard recevait peu de visiteurs: son fils, qui habitait New York, venait le voir régulièrement, et un de ses frères, qui habitait le Maine, était venu une fois.

La mort de Louise Kennedy l'avait évidemment affecté. Les attentats dont tous deux avaient été la cible demeuraient inexpliqués. Un acte prémédité, selon les enquêteurs, mais impossible à comprendre à moins de découvrir des indices supplémentaires ou d'obtenir de nouvelles informations.

Un acte surtout bien exécuté, pensait Bernard. Relié à leur présence récente au Moyen-Orient? La CIA? Il en doutait. Il soupçonnait plutôt, sans savoir pourquoi, la mafia, avec laquelle Tania avait eu des contacts, ou les services représentés par Pietro Gordini. Cette dernière possibilité lui revenait constamment à l'esprit malgré la répugnance qu'elle lui inspirait: le Vatican ne peut agir de façon criminelle! Pourtant, les visites fréquentes des religieux, la présence de Gordini en Colombie, ses accointances avec Joseph Samboni, puis sa mise en scène à Jérusalem le troublaient.

La communication récente qu'il avait eue avec Tania semblait confirmer ses soupçons. Tania était à toutes fins utiles à la merci du Vatican. L'élimination du TTF empêchait toute opposition à ce quasi emprisonnement. C'était farfelu, mais possible !

Malgré sa difficulté à parler, Bernard accepta de participer à quelques entrevues avec les médias les plus influents. Dans l'une de celles-ci, la conversation se déplaça vers le rôle qu'avaient joué la CIA et particulièrement le Vatican depuis que Tania Fixx avait entrepris sa mission. Habituellement, Bernard ramenait la conversation sur des pistes moins dangereuses. Cette fois-ci cependant, il se vida le cœur.

— Vous nous dites que monsieur Sharouf était un agent de la CIA qui tenait l'agence informée des faits et gestes de votre organisation, enchaîna le reporter. Comment l'avez-vous appris ?

— De monsieur Pietro Gordini, lors de notre séjour à Jérusalem.

— Monsieur Gordini, le prêtre qui a participé au retour de madame Fixx de Colombie ?

— Oui.

— Monsieur Gordini semble avoir joué un rôle particulier durant les derniers mois.

— Particulier, répondit Bernard, mais surtout très intéressé.

— Vraiment ? demanda le reporter, étonné.

— Honnêtement, je crois que monsieur Gordini cherchait à attirer madame Fixx au Vatican, et il y est parvenu. Depuis, je crains que Tania ne soit, avouons-le franchement, retenue au Vatican.

— Retenue ? Contre son gré ? questionna le reporter, de plus en plus étonné.

— Je le crains. Mais je n'en suis pas certain. Croyez-moi, nous allons clarifier cette situation le plus rapidement possible. Et prendre les mesures qui seront jugées nécessaires, au besoin.

Le lendemain, les journaux du matin et la télévision rapportaient l'entretien. Un grand quotidien avait titré à la une: «LE VATICAN RETIENDRAIT TANIA FIXX CONTRE SON GRÉ»

Ce jour-là, Bernard reçut un appel de Pietro Gordini. Sans trop d'étonnement, il l'écouta d'abord et répondit à ses questions sur ses blessures, sa récupération. Pietro parla alors de Tania.

— Les journaux reflètent-ils votre opinion, monsieur Dunn, ou est-ce l'interprétation de reporters en mal de sensationnalisme?

— C'est un peu ce que je crois, monsieur Gordini. J'avoue que les événements qui ont mené à notre départ de Jérusalem me font réfléchir. Votre rôle m'apparaît équivoque. En fait, je ne comprends pas les motivations derrière vos actes depuis la Colombie, je dois dire.

— Nous n'avons que le bien-être de madame Fixx à cœur, monsieur Dunn. Sa mission, comme elle le dit elle-même, se doit d'être réalisée et nous nous efforçons tout simplement de l'aider.

— Est-ce son choix, aussi?

— Vous faites allusion aux dernières semaines. Placez-vous plutôt dans une perspective plus large. La CIA oubliera Tania Fixx. Au besoin, nous l'y aiderons. Entre-temps, nous devons garder madame Fixx à l'abri.

— J'aimerais voir Tania, monsieur Gordini. Comme je recevrai mon congé très bientôt, j'avais pensé lui rendre visite au Vatican.

— Mais bien sûr. Vous connaissez déjà Beppi Panetto. Voici comment le joindre – il lui donna un numéro de téléphone –. Il se fera un plaisir de vous aider à organiser cette rencontre en toute sécurité. La partie du Vatican, évidemment.

— Merci, monsieur Gordini. Je dois vous laisser, ma voix me joue encore des tours de temps à autre. Je vous remercie de votre appel.

Immédiatement après avoir raccroché, Bernard fit venir le policier en service à sa porte et demanda un surcroît de vigilance de sa part et de celle de ses collègues pendant les jours prochains. Il ne donna pas d'explications supplémentaires, si ce n'est une crainte accrue de ses ennemis à la suite d'un appel téléphonique.

De son côté, Gordini appela Joseph Samboni dès la fin de sa conversation avec Bernard Dunn. Il ne mâcha pas ses mots.

— Monsieur Samboni, vous ne m'avez rendu qu'un demi-service, contrairement à votre promesse.

— C'est malheureux, en effet. Mais ça arrive quelquefois. Il faut un peu plus de temps, c'est tout.

— Non. Laissez tomber. Nous allons procéder différemment. En tout cas, de façon plus professionnelle.

— Vraiment. Comment?

— Laissez tomber, monsieur Samboni. Je communiquerai de nouveau avec vous au besoin. Je vous remercie de votre aide.

Jos Samboni remit son cellulaire dans sa poche, haussa les épaules et oublia immédiatement cette conversation.

Bernard Dunn reçut son congé de l'hôpital cinq jours plus tard. Sa voix s'était considérablement améliorée, et il reprit ses activités au TTF.

Le décès de Louise affectait le fonctionnement du Trust, mais d'un autre côté, l'absence d'activités reliées à la mission de Tania demandait moins de travail. Bernard décida d'assumer lui-même la présidence du TTF, du moins pendant un certain temps. Les quelques personnes qui s'occupaient des aspects financiers et sécuritaires du TTF avaient gardé l'organisation à jour et il n'eut pas à se préoccuper de ces éléments.

Il reprit contact avec l'Agneau lumineux de Dieu. Yossef était au courant de sa récupération et de ses déclarations concernant Tania et sa présence au Vatican. Il lui fit part de ses propres craintes et, surtout, de l'appel de détresse de Tania environ deux semaines auparavant.

Bernard en fut surpris. Il avait parlé à Tania à quelques reprises depuis, et elle ne lui avait pas exprimé de telles craintes. Au contraire, elle semblait motivée par ses audiences, le fait qu'elle voyait des malades, des gens qu'elle-même sélectionnait quelquefois.

Yossef lui parla ensuite d'Amir et répéta ce qu'il avait déjà raconté à Tania. Bernard l'écouta, sans trop de conviction. Pour mieux le persuader, Yossef l'invita à Oued Ellil. Comme Bernard prévoyait se rendre à Rome, un retour par Tunis ne ferait qu'allonger son périple d'un jour ou deux. Il accepta.

L'organisation de sa visite au Vatican se fit en un tour de main. Beppi Panetto lui promit qu'il le cueillerait directement à l'aéroport, lui réserverait une chambre à l'hôtel Excelsior et s'occuperait personnellement de ses déplacements à Rome. Compte tenu des vols disponibles et du séjour ultérieur en Tunisie, le départ fut fixé pour le lundi suivant, soit cinq jours plus tard. Bernard en avisa Tania, qui ne pouvait le croire, et Yossef, qui l'informa qu'Amir l'attendrait à Tunis.

Le lendemain, il passa la journée à faire des recherches sur les techniques d'écoute électronique de cellulaires. Les services secrets du Vatican et la CIA n'étaient pas des amateurs, et chaque appel de Tania était sûrement écouté et enregistré depuis longtemps. Le TTF utilisait des appareils Sony-Ericsson et, sans trop de problèmes, il dénicha un produit qui permettait de crypter toute communication faite à partir de leurs cellulaires. Il suffisait de brancher un petit dispositif qui s'intégrait parfaitement à la base des téléphones, un du côté de l'appelant et un autre du côté de la personne appelée. La qualité du cryptage se comparaît à ce qu'on faisait dans l'armée. Il acheta quatre dispositifs.

Chapitre 25

Tania accordait des audiences depuis quelques semaines déjà. Un salon de l'hospice Sainte-Marthe avait été transformé pour accueillir les personnes choisies, souvent des malades en fauteuil roulant. On avait résolu le problème de la sélection des malades et du courrier en installant un ordinateur chez elle. Le Vatican possédait un système interne de messagerie électronique et de partage de fichiers, ce qui lui permettait d'accéder aux messages qui la concernaient ainsi qu'à la liste de demandes d'audience. De plus, elle pouvait indiquer ses préférences, dont on tenait parfois compte. À cause des déplacements exigés, le choix portait généralement sur des malades en phase terminale mais encore capables de se déplacer, avec aide au besoin.

Les audiences se déroulaient selon deux scénarios, selon le degré d'importance du visiteur. Les personnes perçues comme influentes ou détenant des postes jugés importants avaient droit à quelques minutes en privé avec Tania. Dans ce cas, elle les recevait assise dans un fauteuil, entourée de quelques ecclésiastiques qui ou bien connaissaient le visiteur, ou encore voulaient faire connaissance avec lui. Les autres visiteurs étaient admis au salon par groupes de vingt à vingt-cinq personnes et lui étaient tout simplement présentés. Elle se déplaçait alors en marchant, leur serrait la main, échangeait des banalités, puis passait au suivant. Tous avaient la possibilité de profiter de sa lumière, ce qui était le but de l'audience.

Le salon, de très grande dimension, ne nécessitait aucune transformation pour passer d'une audience privée à une audience de groupe. Le fauteuil et les chaises des audiences privées, en velours rouge, longeaient le mur du fond, lequel était recouvert d'une draperie jaune portant les armoiries du Vatican et le blason du pape, en alternance. On avait aussi placé une vingtaine de chaises de chaque côté du salon, en demi-cercle, tout en laissant beaucoup d'espace dégagé au centre, ce qui permettait de manœuvrer facilement des fauteuils roulants. Un tapis beige et d'immenses tableaux de scènes religieuses complétaient le décor.

Tania portait toujours une robe simple, à manches courtes, afin de maximiser sa luminosité. Les audiences avaient lieu en après-midi, généralement tous les jours, sauf la fin de semaine.

Aujourd'hui, vendredi, sa robe était marine. Aucun bijou, aucun maquillage. C'était son dernier jour d'audience avant l'arrivée de Bernard, le lundi suivant. Elle descendit au salon à 13 h 30, à l'heure prévue. Il y avait dix audiences privées à l'ordre du jour, suivies de deux audiences publiques.

Aldo Nardi l'accueillit et lui présenta deux membres du clergé, un certain monseigneur Valdez et l'abbé Aznar. Elle prit ensuite place sur son siège. Comme toujours, elle resplendissait, et les deux ecclésiastiques ne pouvaient s'empêcher de la regarder, de l'observer. Aldo Nardi annonça par cellulaire que le premier visiteur pouvait entrer. Il souffla à Tania que son nom était Pedro Almunia.

C'était un religieux encore jeune, émacié, qu'une religieuse poussait dans un fauteuil roulant. Tania se leva et Pedro Almunia se leva aussi. Elle lui tendit la main.

— Il me fait plaisir de vous recevoir, monsieur Almunia, dit-elle.

Il lui prit la main entre les deux siennes, se rapprocha d'elle un peu pour mieux baigner dans sa lumière et répondit dans un anglais très prononcé:

— Merci, madame. Je remercie Dieu de vous avoir mis sur ma route. Je ne sais pas si je mérite ce miracle. Vous êtes... radieuse, resplendissante... un ange de lumière...

Tania était maintenant habituée à ces compliments et n'y portait plus attention.

— De quel endroit êtes-vous ? lui demanda-t-elle.

— De Madrid, madame.

— Votre voyage s'est bien déroulé ? On me dit que le temps est très beau en cette fin d'automne en Espagne.

— C'est un voyage on ne peut plus agréable, madame. Effectivement, le temps est encore chaud, et nous n'avons presque pas de pluie.

Elle continua ainsi pendant deux ou trois minutes. Monseigneur Valdez et l'abbé Aznar connaissaient évidemment le malade et firent quelques remarques. Enfin, Tania remercia le visiteur, qui s'agenouilla devant elle et baisa le bord de sa robe avant de se rasseoir dans son fauteuil. Monseigneur Valdez et l'abbé Aznar la remercièrent également et sortirent du salon avec le malade.

C'était une audience typique. Un religieux, comme dans au moins soixante pour cent des cas. Et un homme, comme dans plus de quatre-vingt-dix pour cent des cas.

Les neuf autres audiences privées furent dans le même ton. Elle compta six autres membres du clergé, deux personnes qui semblaient être des hommes d'affaires ou des personnages politiques, et une femme, Nathalie Fournel, qu'elle avait sélectionnée elle-même. Cette dame Fournel, de Paris, était mère de quatre jeunes enfants et, à trente-neuf ans, se mourait d'un cancer du poumon. C'était aussi l'épouse d'un réputé professeur à la Sorbonne.

Après une pause-café, Tania revint au salon pour la première audience publique. La pause permettait de faire entrer les visiteurs de sorte qu'à son retour, la session pouvait débuter sans délai. Il y avait vingt-deux personnes, dont dix en fauteuil roulant.

Dès son entrée, il y eut des exclamations de surprise, certains se levant même de leur fauteuil. L'effet était toujours le même: elle apparaissait tel un être surnaturel, lumineux, irréel. Aldo Nardi prit la parole, en italien d'abord, leur souhaitant la bienvenue et présentant Tania en quelques mots. Il répéta le même message en français, en anglais et en allemand. Tania s'avança vers les fauteuils roulants, disposés entre les deux demi-cercles de chaises. Elle serra la main de l'un, lui souhaitant le bonjour, donna une accolade à un autre avec un petit mot gentil, puis se dirigea vers les chaises, répétant les mêmes gestes, les mêmes mots d'encouragement. Certaines personnes s'agenouillaient à son arrivée, et elle les relevait doucement, avec un sourire.

Après avoir pris le temps de s'approcher de chacun des malades, elle se posta au centre de la pièce, les remercia de leur visite et leur souhaita bonne chance dans leurs vies, leur rappelant qu'à partir de maintenant ils étaient guéris. Aldo Nardi traduisit ce court message en italien, français et allemand, puis Tania quitta le salon.

Vingt minutes plus tard, la deuxième audience publique pouvait commencer. Même scénario, mêmes réactions des malades, même message de réconfort au départ.

Tout était terminé à 17 h 20. Tania remonta à son appartement, se versa un verre d'eau, s'assit à sa petite table de cuisine, puis éclata en sanglots, comme elle le faisait trop souvent après les périodes d'audiences. Elle se sentait totalement isolée du reste du monde. Elle ne pouvait sortir de l'hospice que pour se promener dans les jardins et les petites rues du Vatican, presque toujours seule. Elle mangeait seule, toujours dans la salle à manger de l'hospice. Les vêtements ou accessoires dont elle avait besoin lui étaient livrés à son appartement après avoir été commandés à Aldo Nardi, la plupart du temps à l'aide de catalogues ou de publicités. Toute tentative de quitter le Vatican se terminait par le retour à l'hospice en compagnie de gardes suisses. Enfin, tout essai de discussion sur ce sujet se bornait à une écoute très attentive de ses demandes, puis à un sempiternel « nous allons étudier votre demande et vous revenir sous peu ».

Elle servait aux fins de ses geôliers, c'est tout.

Le dimanche, en fin d'après-midi, le vol de Bernard atterrit à l'aéroport Leonardo da Vinci de Fiumicino tel que prévu. Beppi Panetto l'attendait et le conduisit à l'hôtel Excelsior au centre-ville. Panetto n'était pas très loquace et, hormis quelques questions sur l'attentat dont Bernard avait été victime et sur les blessures qu'il avait reçues, il n'y eut pas d'autres échanges. Il aida Bernard avec ses bagages jusqu'à la réception de l'hôtel, puis il lui serra la main, indiquant qu'il viendrait le prendre le lendemain matin à 7 h 30.

Bernard s'inscrivit, monta à sa chambre, défit ses bagages et s'empressa d'appeler Tania, lui annonçant qu'il était bien arrivé et qu'il serait à son appartement autour de 8 h le lendemain matin. Évidemment, Tania jubilait.

À 20 h, il descendit à la salle à manger de l'hôtel et dîna en feuilletant un magazine local. Il était de retour à sa chambre à 21 h 30. Il vérifia son cellulaire, lequel incorporait un des petits dispositifs de cryptage, amovible, qu'il s'était procurés. Puis il se coucha.

À 7 h 30 le lendemain matin, il attendait Beppi Panetto à la réception. Frais et dispos, il avait eu le temps de prendre un café et une brioche, de lire le journal et de vérifier son porte-documents. Panetto était à l'heure. Bernard monta à bord d'une Alfa Roméo récente et Panetto, empruntant la Via Vittorio Veneto, manœuvra jusqu'au Vatican. Il entra dans la cité par la rue de la Station Vaticane, passa les contrôles de sécurité et stationna devant l'hospice, situé tout près, sur la Piazza Santa Marta.

Panetto conduisit Bernard jusqu'à l'intérieur de l'hospice, en fait un hôtel de grande classe. Il lui indiqua le numéro d'appartement de Tania, puis le prévint qu'il le reprendrait à 11 h 30, car Tania devait se préparer pour ses audiences.

Bernard frappa à la porte de Tania, qui, en l'ouvrant, se jeta dans ses bras, telle une jeune femme retrouvant son père après une longue absence. Elle ne pouvait s'empêcher de lui répéter sa joie de le voir, d'être enfin capable de communiquer avec quelqu'un qui la connaissait. Elle avait le goût de pleurer et de rire en même temps, de l'embrasser, de le serrer contre elle.

Bernard fut frappé par l'aspect irréel que présentait Tania. Il en avait perdu l'habitude. Ils s'assirent dans le petit salon, prirent un café que Tania avait préparé, et parlèrent d'abord des derniers événements, de l'attentat, des audiences, des journées de Tania. Comme celle-ci abordait le sujet de son quasi emprisonnement, il l'interrompit en disant gaiement:

— Tu sais, je n'ai jamais vu le Vatican de l'intérieur. Il fait un temps superbe. Allons marcher dans les jardins.

Comme elle le regardait, étonnée, il lui fit signe d'accepter.

— D'accord, dit-elle. Je passe quand même un manteau. C'est un peu frais en novembre.

Elle se leva. Il se leva aussi et s'approchant d'elle, lui remit un bout de papier. Elle l'ouvrit et lut: « N'emporte pas ton cellulaire. Je t'expliquerai. »

Dans sa chambre, elle prit son manteau, puis dit gaiement:

— Voilà. Allons-y.

Ils sortirent de l'hospice et, longeant l'arrière de la basilique Saint-Pierre, se dirigèrent vers les jardins par l'entrée de la Piazza del Governatorato.

Bernard en profita immédiatement pour expliquer son comportement.

— Tu dois savoir que ton cellulaire permet d'espionner toutes tes conversations.

— C'est vrai?

— Même quand tu ne l'utilises pas. Le simple fait de le porter sur toi en état de veille permet d'écouter et d'enregistrer toutes tes conversations. Quiconque te surveille connaît donc tout ce qui a pu se dire depuis probablement longtemps. Plusieurs mois.

Tania ne répondit pas.

Bernard sortit son appareil de sa poche, en détacha le module de cryptage et lui montra comment le fixer à son propre appareil, qui était identique au sien. Puis il le lui remit.

— Voilà. Ce petit module assurera la sécurité de tes appels. J'en ai un autre à l'hôtel pour mon appareil. J'en ai apporté deux autres, car je dois aussi rencontrer Yossef. Fixe-le quand tu communiqueras avec moi ou Yossef. Tu peux l'enlever pour les appels que tu ne désires pas garder confidentiels. Si je t'appelle et que le module n'est pas fixé, demande-moi de te rappeler dans quelques secondes, le temps de fixer le module à ton téléphone.

Tania l'écoutait attentivement et acquiesçait. Elle lui demanda:

— Tu te rends en Tunisie?

— Oui. J'ai rendez-vous avec Yossef. Ta situation le préoccupe beaucoup, d'ailleurs.

— Je sais. Il me l'a dit.

— Revenons-en au module de cryptage. Cache-le quand tu ne l'utilises pas. Cache-le sur toi. Dès que tes surveillants constateront le brouillage de tes appels, ils soupçonneront une modification de ton appareil. Et ils te demanderont probablement de le vérifier. Fais attention, car le module ne convient qu'à des appareils Sony-Ericsson, comme le tien.

Après quelques pas et un moment de silence, Bernard reprit:

— Il faut te faire sortir d'ici, Tania. Mais je ne sais pas encore comment. Je crois que Pietro Gordini est l'âme derrière ton quasi enlèvement et ta semi-détention. Comment te traitent-ils, vraiment?

Tania ne put réprimer un sanglot.

— Sur le plan de mes besoins de base, très bien, Bernard. J'ai réellement tout ce qu'il me faut. Mais sur le plan humain, je me sens comme un animal de cirque.

Bernard l'écoutait.

— On me fait sentir libre, mais c'est faux. Il m'est impossible de quitter l'enceinte du Vatican. Toutes mes tentatives se sont soldées par l'intervention des gardes suisses et mon retour escorté à l'hospice. Et ce qui est pire, je n'ai pas réellement voix au chapitre de mes audiences. On me permet d'exprimer mes choix de personnes à rencontrer, mais ces choix ne se matérialisent qu'une ou deux fois sur dix. En somme, on me dicte ce que je dois faire.

Bernard écoutait toujours.

— Tu sais, six fois au moins sur dix, les personnes choisies pour les audiences privées sont des religieux. Neuf fois sur dix au moins, ce sont des hommes. Et je ne puis rien y faire. Quant aux audiences publiques, c'est le même scénario. Mais je m'attarde moins à ces audiences. Ce serait un travail trop considérable.

— Ces audiences ont lieu fréquemment?

— Tous les après-midi, sauf les fins de semaine. Le plus difficile à supporter est la solitude, Bernard. On ne me permet aucune sortie, aucun loisir. Même aux repas. Ma vie à Boston était peut-être celle d'une recluse, mais j'étais libre si on la compare à ma situation ici.

— As-tu accès aux journaux, à la télévision?

— Oui, bien sûr.

— T'a-t-on déjà demandé de rencontrer des reporters, des journalistes ?

— Évidemment non.

Ils marchèrent un bon moment en silence.

— Bon. Je crois qu'ils vont utiliser ma visite comme une démonstration de leur bonne foi, dit Bernard. Il va falloir que tu joues leur jeu. Sois joyeuse, sans exagération. Mais manifeste de temps à autre ton désir de retourner à Boston. Et surtout, note bien leur comportement. Ils vont probablement te demander de participer à certaines activités religieuses, avec message approprié de ta part. Je ne suis pas certain, mais il me semble que leur but est de te faire voir comme une envoyée de Dieu et de se servir de toi.

Tania ne fit aucun commentaire. Elle assimilait tout ce que Bernard lui disait.

— Je te demande d'être patiente. Nous travaillons à te sortir d'ici.

Ils se promenèrent jusqu'au moment où Bernard devait partir. Il la reconduisit à son appartement où il dut la rassurer un bon moment avant de la quitter. Sans le lui dire, Tania ressentait son départ comme un abandon, et après avoir refermé la porte de l'appartement, elle éclata en sanglots.

Bernard attendait Beppi Panetto à la porte de l'hospice à 11 h 30. Ce dernier le ramena à l'hôtel, tout en le questionnant gentiment sur sa rencontre avec Tania.

Prochaine étape: Yossef, le lendemain matin, à Tunis.

Chapitre 26

Amir attendait aux arrivées de l'aéroport de Tunis depuis un bon moment. Le vol avait trente minutes de retard. Finalement, Bernard franchit la porte et fut accueilli par un barbu aux cheveux longs en djellaba beige et sandales.

Amir était heureux de revoir Bernard. Ce dernier demeura poli, sans plus. Il n'avait pas réellement réfléchi à l'attitude à prendre et ne voulait ni se compromettre ni placer Tania ou qui que ce soit d'autre dans une situation à risque.

Les valises rangées dans l'auto, une vieille Peugeot noire, Bernard retira son veston et sa cravate et prit place à côté d'Amir. Le trajet vers Oued Ellil ne prit que trente minutes. La Maison de l'agneau, un hôtel réaménagé situé un peu en retrait de la route 7 à l'entrée de la petite ville, avait belle mine: une structure de stuc blanc de trois étages derrière un long jardin dont une partie avait été convertie en espace de stationnement, quelques bâtiments dans un très grand espace libre à l'arrière, l'ensemble entouré de murets. Des travaux étaient en cours, surtout à l'arrière de la résidence; Amir expliqua que c'était en préparation pour la Fête de l'hiver. Le complexe était gardé par un imposant contingent déployé autour des installations.

Yossef attendait Bernard dans le hall de la résidence et ne cacha pas sa joie de le revoir. Il brûlait surtout de connaître les dernières nouvelles au sujet de Tania.

On avait préparé un repas et on présenta Bernard aux dirigeants de L'Agneau lumineux de Dieu. L'atmosphère était détendue, décontractée. Presque tous les membres du groupe portaient un jean et une chemise sans veston. On se mit mutuellement au courant des derniers développements et, sitôt le repas terminé, Yossef pria Bernard de le rejoindre à son bureau.

— Donnez-moi plus d'informations sur Tania, lui demanda-t-il dès qu'ils se furent installés.

Bernard lui fit un exposé de son séjour à Rome et de ses conversations avec Tania. Yossef le questionna encore sur plusieurs détails avant d'aborder le sujet suivant. Il était inquiet et ne le cachait pas. Il demanda enfin:

— Nous avions mis beaucoup d'espoir en une éventuelle collaboration avec le TTF, Bernard, mais vos déboires des derniers mois n'ont pas permis cette collaboration.

— C'est la raison pour laquelle j'ai accepté votre invitation, Yossef. Nous avons besoin de vous, de vos contacts.

— C'est ce que je croyais. Nous avons déjà discuté de possibilités d'intervention, en fait dès que j'ai su, ou plutôt soupçonné que Tania était retenue contre son gré. Amir est d'ailleurs très intéressé à participer à toute activité concernant Tania.

— Si ce que vous me dites à son sujet est vrai, il espère sûrement se réhabiliter à nos yeux.

— Peut-être, mais son entraînement en fait quelqu'un de très compétent.

— Vous parliez d'intervention, Yossef. Qu'avez-vous à l'esprit?

Yossef lui fit un long exposé sur un plan d'action susceptible de soustraire Tania à ses ravisseurs. Le plan se déroulait sur plusieurs semaines afin de bien se préparer et de ne pas éveiller les soupçons du Vatican, ce qui provoquerait une situation où Tania serait encore plus isolée.

Bernard fut surpris de la nature du plan et de son ampleur.

— La direction de l'Agneau lumineux de Dieu approuve ce programme, Yossef?

— Tout n'est pas encore parfaitement défini et bien sûr il faudra s'adapter aux événements des jours prochains. Mais, oui, nous sommes tous d'accord pour entreprendre cette mission.

— Et Tania vous a vraiment parlé de la possibilité de recevoir des malades dans la basilique Saint-Pierre? Vous en êtes certain?

— Oui, Bernard.

— Elle ne m'en a pas parlé. C'est bizarre.

On assigna une chambre à Bernard, qui put s'y changer avant le dîner, prévu à 19 h 30. Ce fut un repas communautaire, simple. La soirée était libre et on lui fit visiter les installations de la Maison de l'agneau, en particulier le salon où on exposait l'agneau et recevait les malades. Il put voir l'agneau, le prendre dans ses bras, s'émerveiller de sa luminosité. C'était étonnant, aussi irréel que la lumière émanant de Tania.

Vers 23 h, on se donna rendez-vous pour le lendemain. Yossef voulait profiter de la matinée pour lui faire part des préparatifs engagés pour la Fête de l'hiver, qui se tiendrait le 21 décembre, soit dans un peu plus d'un mois.

Bernard dormit mal. Il fit un cauchemar qui l'éveilla tôt le matin et, ne pouvant se rendormir, il se leva. Il faisait à peine jour. Il lut, fit quelques exercices, alla marcher un peu. Il réalisa qu'il avait peur. Pas pour lui, mais pour Tania. Il se sentait incapable de la protéger, tout en ressentant profondément en lui un besoin incompréhensible de la soustraire à toute influence qui pourrait lui nuire, lui faire du mal. Finalement, l'heure du petit-déjeuner arrivant, il prit une douche, revêtit un pantalon et une chemise sport, puis se rendit à la salle à manger.

Il rejoignit Yossef à son bureau une heure plus tard. Il avait apporté les modules de cryptage électronique et expliqua d'abord à son hôte la raison de leur utilisation, puis la façon de s'en servir. Yossef se rendit compte soudain que personne ne s'était préoccupé de cette éventualité jusqu'à présent, et sur-le-champ il prit la décision de modifier leurs appareils cellulaires et leurs contrats de service. Il accepta les deux modules que lui offrait Bernard et le remercia.

Le dialogue s'engagea sur la direction qu'avait prise récemment l'Agneau lumineux de Dieu. Yossef commença par décrire la croissance du mouvement durant les derniers mois, lui rappela leurs conversations sur les décisions concernant l'exposition de l'agneau à dates fixes durant l'année, puis aborda le sujet qu'il voulait particulièrement discuter, soit le nouveau message de l'Agneau lumineux de Dieu.

— Pour tout dire, Bernard, nous sommes encore en période de réévaluation de notre message. Notre action, qui au début se basait uniquement sur le phénomène de guérison inexpliqué due à l'agneau, a rapidement évolué vers un renouveau spirituel où l'agneau tend à devenir un accessoire. Un accessoire important certes, car c'est ce qui attire initialement les foules, mais qui deviendra éventuellement secondaire. Et c'est là que l'élément spirituel prend toute sa force.

— Vous savez, Yossef, que ni moi ni Tania n'avons des intérêts de nature religieuse. Votre démarche me semble intéressante, mais le TTF ne peut y participer.

— Laissez-moi terminer, Bernard. Je ne cherche pas votre adhésion, soyez sans crainte. Je veux tout simplement vous faire part de ce qui se prépare chez nous.

Il enchaîna:

— L'élément spirituel, ce n'est plus le Coran. Ce n'est pas non plus la Bible ni aucun des textes traditionnels actuels. C'est une courte liste de préceptes que nous exposons et expliquons rapidement dans notre *Petit Livre.*

Il prit un *Petit Livre* sur son bureau et le tendit à Bernard.

— Prenez quelques minutes et parcourez-le.

Bernard lut le *Petit Livre.* Un opuscule d'à peine une vingtaine de pages. Il fut surpris d'en constater la nature non partisane, non confessionnelle, totalement exempte de directives, de lois ou de règlements. Cela montrait une ouverture d'esprit chez Yossef qu'il n'avait pas soupçonnée et il en fut étonné. Yossef prenait une envergure plus large, plus sophistiquée que ce qu'il avait pu voir jusqu'à présent.

— Très, très intéressant, dit-il. Puis-je le conserver?

— Bien sûr.

— Vous avez fait un cheminement que je n'imaginais pas.

Yossef l'écoutait. La réaction de Bernard était importante : elle pèserait lourd dans toute décision concernant l'avenir du TTF et de l'Agneau lumineux de Dieu.

— Vous le distribuez gratuitement ? demanda Bernard.

— Tout à fait gratuitement. À qui le désire. Sans aucune condition.

— Vous abandonnez donc l'idée d'un renouveau de l'islam.

— Au contraire, Bernard, nous capitalisons sur un renouveau de l'islam. Mais un renouveau spirituel, non religieux. Nous voulons que l'islam s'affranchisse de son idéologie de fautes et de punitions. Que tous réalisent que Dieu, selon nos religions, est l'invention de l'homme. Mais que l'idée de Dieu n'est pas à rejeter. Que les lois qui doivent nous diriger existent, mais qu'elles sont déjà en chacun de nous.

Bernard était de plus en plus surpris par la teneur des propos de Yossef, qui reflétaient une approche susceptible de rallier des personnes de toute conviction religieuse.

— Vous savez, votre approche s'applique aussi au christianisme.

— Je vois que vous comprenez où nous nous dirigeons, Bernard.

— Où vous vous dirigez ?

— Oui. L'Agneau lumineux de Dieu est un mouvement de l'humanité. Universel. Ou du moins terrestre. Il est propulsé par un événement extraordinaire que nous ne comprenons pas : les pouvoirs de guérison de l'agneau lumineux. Nous ne prétendons pas à la perfection. Mais nous visons l'amélioration, la diffusion de notre message.

Yossef marqua un temps d'arrêt. Puis il reprit en pesant bien ses mots :

— Je crois que Tania, à sa façon, vise les mêmes objectifs.

Bernard ne fit aucune remarque. Il savait que Tania réagirait positivement à un tel changement. Surtout, il savait qu'elle était déjà amoureuse de Yossef.

— C'est pourquoi j'aimerais que Tania se joigne à nous.

Bernard le regarda longuement sans répliquer. Puis il demanda :

— Lui en avez-vous parlé ?

— Non. Pas encore. J'attends qu'elle soit libre. Qu'elle soit ici, avec moi.

— Je comprends. Elle vous écoutera, Yossef.

— Je l'espère de tout cœur.

~

Yossef fit une pause, semblant réfléchir. Puis il reprit:

— Bon, je veux aussi vous parler de nos installations. Le complexe va nous permettre de recevoir les visiteurs pour la Fête de l'hiver, le mois prochain. Mais nos installations sont inadéquates en ce qui concerne la Fête de la lumière, qui débute le 21 mars. Nos prévisions varient de quelques milliers de personnes à... quelques centaines de milliers.

Bernard l'écoutait attentivement.

— Venez, je vais vous montrer ce sur quoi nous travaillons.

Il sortit de son bureau et entraîna Bernard à l'extérieur. Ils montèrent à bord de la vieille Peugeot et Yossef expliqua, tout en conduisant:

— Nous avons acheté une ferme à quelques minutes d'ici. C'est là que je vous emmène.

— Pourquoi une ferme?

— Nous voulions initialement louer le stade olympique, mais ce n'est pas possible. De toute façon, ce n'aurait pas été une bonne solution. La ferme, par contre, nous offre un espace plus que suffisant. Nous n'avons pas besoin de gradins. Des allées de circulation nous suffiront. Des espaces sanitaires. Des salles de contrôles médicaux. Une infirmerie.

Il se tut et se concentra sur la conduite de l'automobile. Après quelques minutes, il s'engagea dans une allée et stationna l'auto près d'un bâtiment qui ressemblait à une grange. De gigantesques travaux de nivellement et de terrassement étaient en cours.

— C'est impressionnant, dit Bernard.

— En effet.

Yossef lui décrivit avec force gestes les résultats escomptés de ces travaux, l'emplacement des structures à venir, les accès, les espaces de stationnement.

— Vous serez prêts à temps? demanda Bernard.

— Comme les structures ne seront que temporaires initialement, oui, nous serons prêts à temps.

Ils revinrent à la Maison de l'agneau. Il était près de midi et Yossef l'invita au lunch.

Bernard devait prendre un vol le soir même pour New York, puis pour Boston. Il en faisait part à Yossef lorsque celui-ci lui demanda:

— Devez-vous absolument retourner aux États-Unis?

Bernard le regarda, surpris.

— Nous devons tous deux travailler au retour de Tania. Restez ici avec nous. Vous êtes un expert en publicité et communications. Vous complèteriez notre équipe.

Bernard réfléchissait. L'offre était sensée: toute action concernant Tania bénéficierait de la collaboration de Yossef et de ses adeptes. D'un autre côté, sa base, donc ses ressources, se situait à Boston, ce qui nécessiterait la mise en œuvre de mesures additionnelles.

Après réflexion, Bernard acquiesça.

Chapitre 27

Tania était en pause-café. Elle venait de terminer ses audiences privées de la journée et se préparait à rencontrer les malades de la première audience publique. Aldo Nardi vint s'asseoir à sa table, un café à la main.

— Tout va bien, madame Fixx?

— Oui, ça va.

— Monseigneur D'Albini désire vous informer que les préparatifs en vue de vous permettre de rencontrer des visiteurs dans la basilique sont terminés. Mais ce ne sera pas la basilique Saint-Pierre. Il propose la basilique Saint-Paul-Hors-Les-Murs, à vingt minutes d'ici. Il suggère qu'une première apparition dans la basilique ait lieu dimanche, lors de la messe de 10 h 30.

— Une apparition?

— Une rencontre plus précisément. En fait, il aimerait que vous aidiez l'officiant à distribuer la communion, laquelle a lieu vers la fin de la cérémonie, et que vous soyez présente jusqu'à la fin de la messe.

— Pourquoi la communion?

— Par symbolisme, je crois. Vous offrez la guérison des corps. L'hostie offre la guérison de l'âme, en quelque sorte.

— Je ne désire pas réellement m'associer à une pratique religieuse, monsieur Nardi, et je préférerais réserver mes interventions aux personnes malades seulement. Ma présence à une messe ne me semble pas appropriée.

— Vous refusez ?

— Je préférerais procéder de manière différente. Mais j'aime bien l'idée de profiter de l'espace et des facilités qu'offre la basilique.

— Je vais aviser monseigneur D'Albini de votre décision, madame Fixx. Il est maintenant temps. Vous êtes prête ?

Le lendemain matin, Tania reçut un appel de Pietro Gordini. Surprise et troublée, elle répondit nerveusement à ses questions sur son séjour à l'hospice, ses audiences et la visite de Bernard Dunn. Comme elle n'avait pas entendu parler de lui depuis un certain temps, elle trouvait cet intérêt soudain étrange et s'attendait à une demande particulière. Elle se méfiait de ce personnage.

Gordini lui dit:

— Vous savez que monsieur Dunn est à Tunis, n'est-ce pas ?

— Il m'a en effet dit qu'il avait accepté une invitation de se rendre à Oued Ellil.

— Nous avons appris qu'Amir Sharouf se cachait à Oued Ellil.

Tania garda le silence, ne sachant pas où Gordini voulait en venir.

— Nous craignons que monsieur Dunn soit en danger, madame.

— Mais pourquoi vous inquiétez-vous pour Bernard, monsieur Gordini ?

— Ce qui vous inquiète nous inquiète, madame.

Tania ne répondit rien. Elle était de plus en plus confuse.

— Nous pourrions nous aider mutuellement, par contre.

— Que voulez-vous dire ?

— Nos services peuvent protéger monsieur Dunn. Il serait à l'abri de toute tentative visant à lui nuire. En retour, nous aimerions simplement avoir votre aide dans l'accomplissement de notre mission auprès des fidèles de l'Église.

— Je ne comprends pas. Vraiment, monsieur Gordini, je ne saisis pas où vous voulez en venir.

— Au contraire, madame, je crois que ma demande est très précise. Je dois maintenant vous quitter, malheureusement. Je vous souhaite une bonne journée... Oh, j'oubliais, monsieur Nardi vérifiera avec vous la procédure exacte pour dimanche. Au revoir.

Gordini coupa la communication.

Paniquée, Tania appela immédiatement Bernard sur son cellulaire. Elle avait pris soin de fixer le module de cryptage avant de composer son numéro.

Bernard l'informa d'abord qu'il avait décidé de rester auprès de Yossef pendant un certain temps. Tania lui raconta alors, de façon détaillée, sa conversation avec Pietro Gordini.

— Il a mentionné que ses services pouvaient me protéger, mais me protéger de quoi ? demanda Bernard.

— D'Amir. Du moins c'est ce qu'il a laissé entendre.

— Ça n'a pas de sens. Il y a une autre explication.

— J'ai peur de cet homme, Bernard.

— Son message ne serait-il pas plutôt que je suis en danger si tu ne réponds pas à leurs demandes ?

— Mais c'est puéril, voyons !

— Oui. Mais efficace. Si tu leur tiens tête, il m'arrive un accident. À moi ou quelqu'un d'autre près de toi.

— À qui d'autre pourraient-ils s'attaquer ?

— Yossef.

Tania, figée par la crainte, ne réagit pas.

— Je vais discuter de cette situation avec Yossef et les gens de l'Agneau lumineux de Dieu. Plus j'y pense, plus ça m'apparaît comme une menace, maladroite peut-être, mais une menace quand même.

— Ne prenons aucune chance, Bernard. Je vais accepter leur proposition concernant la cérémonie de dimanche.

— Tu te rends compte qu'en acceptant, tu ouvres la porte à un chantage qui ne cessera plus ?

— Oui, Bernard. Mais un refus peut aussi entraîner des conséquences que je regretterais toujours.

— Quelle basilique a-t-il mentionné ?

— Saint-Paul-Hors-Les-Murs.

Ce dimanche, du personnel de sécurité inspectait toute personne se présentant à la basilique Saint-Paul-Hors-Les-Murs. Postés à l'intérieur des grilles donnant accès au jardin devant l'église, ils utilisaient des détecteurs de métal portatifs et fouillaient les sacs jugés suspects. Comme il y avait six inspecteurs, plus une demi-douzaine d'observateurs s'assurant que personne n'échappe à l'opération, les choses allaient rondement. En réponse aux questions concernant cette procédure inhabituelle, on répondait qu'il y aurait une personne importante à la cérémonie.

La messe débuta à l'heure prévue, 10 h 30. Une messe ordinaire, soit un célébrant et deux jeunes assistants, des enfants de chœur. Environ trois cents personnes étaient présentes.

Tania avait été conduite dans la pièce située à l'arrière de l'autel. Elle avait décidé de porter une simple robe noire, agrémentée au cou d'une petite chaîne ornée d'une perle. Le noir contrastait vivement avec le blanc de la lumière qui se dégageait d'elle et la rendait resplendissante. On l'avait prévenue que l'un des enfants de chœur viendrait la chercher au moment de la communion.

On en était rendu au sermon, qui se donna d'abord en italien. Tania entendit son nom, suivi d'une énorme exclamation de surprise venant de la foule. Puis quelques phrases furent dites en français, avec encore une fois son nom et des exclamations. Enfin, le message fut répété en anglais: « Pour nos fidèles de langue anglaise, la communion sera donnée par madame Tania Fixx, cet ange lumineux et miraculeux que Dieu a bien voulu mettre sur notre route afin de nous aider dans notre foi. » Il y eut encore une fois des exclamations de surprise.

Environ quinze minutes plus tard, un des jeunes assistants vint la chercher. Dès son entrée par la porte à la droite de l'autel, une clameur s'éleva. Les gens, debout, s'étiraient le cou pour mieux la voir, certains quittant leur siège pour essayer de se rapprocher. Les gardes de sécurité intervinrent, et chacun reprit sa place.

L'assistant la dirigea près de l'autel. L'officiant lui remit alors un ciboire d'or rempli de petites hosties et lui fit signe de le suivre. Tania illuminait littéralement le vase qu'elle tenait entre ses mains. L'officiant lui enjoignit de se placer à sa gauche, en avant et au centre de l'autel.

Les gens s'étant placés en file dans l'allée centrale, l'officiant et Tania s'approchèrent. Chacun recevait une petite hostie lorsqu'il se présentait devant l'officiant. Soudain, quelqu'un s'agenouilla devant Tania et baisa le bord de sa robe. L'officiant le releva. Puis quelqu'un d'autre voulut la toucher, une vieille femme. Tania lui prit la main et lui sourit. Ce devint finalement le cérémonial que le reste de la petite foule suivit: on s'agenouillait devant elle, lui tendait la main, certains lui touchaient les pieds.

Tout le monde communia, ou du moins voulut s'approcher d'elle et bénéficier de sa lumière. Quand le dernier de la file eut communié, Tania remis le ciboire d'or à l'officiant et regagna la pièce à l'arrière de l'autel. Elle s'assit et essaya de mesurer l'impact du geste qu'elle venait de faire, bien contre son gré.

À peu près au même moment, le pape, de son balcon, lisait l'Angélus, la prière du midi, pour les fidèles massés sur la place Saint-Pierre, devant la basilique. Il y avait au moins cent mille personnes. Soudain le pape mentionna Tania:

« Nous célébrons avec une joie profonde l'arrivée parmi nous d'une messagère spéciale, madame Tania Fixx, qui ce matin a donné la communion aux fidèles de notre basilique Saint-Paul-Hors-Les-Murs. Chers frères et sœurs, le Seigneur a daigné nous envoyer un ange de lumière aux pouvoirs miraculeux afin de nous rappeler sa présence parmi nous. Invoquons-le et demandons-lui de nous aider à faire preuve de courage et de charité dans les moments difficiles de nos vies. »

Ce message fut immédiatement repris par les médias, qui annoncèrent que le pape reconnaissait les pouvoirs de Tania Fixx comme miraculeux. On rapporta aussi que toutes les tentatives pour rejoindre madame Fixx restaient vaines, le Vatican plaidant soit un emploi du temps trop chargé, soit le supposé refus de madame Fixx de rencontrer les médias pour cause de fatigue, d'indisposition ou d'autres raisons inventées. Aussi, il était impossible de rencontrer un représentant du Vatican ou du Saint-Siège, toute demande se voyant rabrouée par un laconique « nous ne sommes pas en mesure de faire de commentaires pour l'instant ».

Jusqu'à ce que Bernard Dunn s'en mêle.

Bernard connaissait quelques personnalités du groupe CNN aux États-Unis. Lui-même et Tania avaient d'ailleurs été invités à l'émission *CNN Tonight* dans le passé. Lorsqu'il apprit par les journaux et la télévision les nouvelles concernant les nouvelles activités de Tania et la position que prenait l'Église à son sujet, il songea à communiquer avec elles. Son plan était d'inviter CNN à Oued Ellil et d'informer les journalistes de la situation réelle concernant Tania. Il révélerait en particulier le chantage qu'on exerçait sur elle afin de la soumettre aux volontés du Saint-Siège. Évidemment, l'occasion serait idéale pour donner plus d'informations sur l'Agneau lumineux de Dieu et son message. On pourrait aussi leur remettre des exemplaires du *Petit Livre,* lequel serait instantanément connu partout.

Comme tout cela aurait des conséquences énormes sur l'Agneau lumineux de Dieu, Bernard en discuta avec Yossef et les dirigeants du mouvement. Après de longues considérations sur les retombées possibles de cette approche, on décida d'aller de l'avant.

CNN réagit instantanément et organisa une entrevue pour le surlendemain. Le réseau demanda aussi l'autorisation de faire un court reportage sur l'Agneau lumineux de Dieu, ce que Bernard avait prévu. L'installation des caméras, de l'éclairage et des éléments techniques prit plus d'une heure. Les reporters et l'équipe technique étaient arrivés à 9 h, et à 10 h tout était prêt. Des caméras avaient déjà filmé la Maison de l'agneau et ses environs, ainsi que les travaux préparatoires à la Fête de l'hiver qui approchait.

La reporter, une mince jeune femme en tailleur gris dans la trentaine, était assise en face de Bernard et de Yossef, de l'autre côté d'une petite table ronde. Elle débuta en parlant d'abord, très brièvement, de la raison de l'entrevue, de l'Agneau lumineux de Dieu et de Yossef, puis de Bernard Dunn et de sa présence à Oued Ellil.

— Donc, monsieur Dunn, vous êtes en visite en Tunisie. En fait, vous êtes l'invité de l'Agneau lumineux de Dieu.

— C'est exact.

— Votre organisation planifie-t-elle un rapprochement avec ce mouvement ?

— Le Trust Tania Fixx s'intéresse à l'Agneau lumineux de Dieu depuis un bon moment. Nous croyons que nos buts fondamentaux se ressemblent.

— Vous mentionnez le nom de madame Fixx. Que se passe-t-il exactement à son sujet, monsieur Dunn? Son séjour au Vatican semble entouré de mystère.

— Vous avez raison. Ce n'est pas un secret que le Vatican semble profiter, si je puis dire, de la présence de madame Fixx.

— De quelle façon?

— Comme vous le savez déjà, le Trust croit que Tania est retenue contre son gré. En fait, nous savons qu'elle est retenue contre son gré. J'ai pu lui rendre visite il y a quelques jours et elle me l'a elle-même confirmé.

— Vous lui avez rendu visite? Au Vatican?

— Oui. Elle loge à l'hospice Sainte-Marthe et est très bien traitée. Du moins physiquement. Mais on la garde en isolement.

— En isolement? Mais elle donne des audiences, m'a-t-on dit.

— Des audiences contrôlées. Elle a aussi dû accepter de se prêter à des cérémonies religieuses après avoir été menacée.

— Menacée, monsieur Dunn? Vous êtes sérieux? demanda la journaliste, incrédule.

— Je suis très sérieux. C'est du chantage. Madame Fixx n'a jamais voulu ni ne désire actuellement s'impliquer dans un mouvement de nature religieuse, et c'est ce qu'on lui fait faire.

— Vous êtes certain de ce que vous avancez, monsieur Dunn?

— Croyez-moi, madame, j'en suis aussi surpris que vous. Jamais je n'aurais cru qu'une telle éventualité pourrait se produire. Et que le pape lui-même affirme que Tania Fixx est maintenant parmi eux, qu'elle s'est jointe à l'Église, qu'elle possède des pouvoirs miraculeux, vraiment, ça dépasse les bornes. Madame Fixx n'aurait jamais accepté une telle prise de position. Tout ça se fait contre son gré, sans son autorisation.

Il y eut un moment de silence.

— Après de telles révélations, pensez-vous être capable de revoir madame Fixx?

— Je ne sais pas. Je ne pense pas, du moins pas sans discussion préalable avec le Vatican.

— L'Agneau lumineux de Dieu entre-t-il dans vos plans?

— Que voulez-vous dire?

— Pensez-vous que certaines personnes de ce mouvement pourraient vous aider?

— Nous n'avons pas discuté de cet aspect. Ma visite vise plutôt à mieux comprendre les nouvelles orientations du mouvement.

— Oui. Nous avons eu des échos d'un renouveau de ce mouvement. Qu'en est-il au juste, monsieur Dunn?

— L'Agneau lumineux de Dieu semble s'être éloigné de toute association avec l'islam tel qu'on le connaît, en fait avec toute pratique religieuse actuelle. C'est une démarche très ouverte, très positive.

— Vous êtes en accord avec cette nouvelle orientation?

— Je crois que c'est une direction préférable à celle du début de ce mouvement. J'aime bien leur petit manifeste, qu'ils appellent le *Petit Livre.*

Bernard sortit de sa poche de veston un *Petit Livre* qu'il remit à la journaliste. Celle-ci l'ouvrit, le regarda une seconde, puis le posa sur la table.

— Parlez-moi un peu du contenu de ce *Petit Livre.*

— Je crois que vous devriez poser cette question à monsieur Al-Idrissi, qui dirige l'Agneau lumineux de Dieu.

Le reportage se poursuivit ensuite principalement avec Yossef et prit fin vers 10 h 45.

CNN diffusa l'entrevue le soir même. Elle fut suivie d'un court reportage sur l'Agneau lumineux de Dieu et son nouveau message. On put même voir l'agneau.

L'émission fut regardée sur toute la planète.

Presque aussitôt, le Vatican fut inondé de messages et de notes de protestation venant de tous les coins du monde. Des éléments extrémistes prônaient même une intervention armée afin de libérer Tania Fixx.

À Oued Ellil, on commença à recevoir des demandes d'information sur l'Agneau lumineux de Dieu et son message, sa philosophie, ses buts. Les demandes provenaient de partout en Europe et en Amérique, quelques-unes même d'Asie. Curieusement, beaucoup aussi du Moyen-Orient. En réponse, l'Agneau lumineux de Dieu avait rédigé une lettre qui expliquait brièvement les buts du mouvement, à laquelle on joignait un exemplaire du *Petit Livre.*

Pour faciliter cette nouvelle communication internationale, on fit construire un site Internet, avec une section de demande d'information.

Chapitre 28

Le Vatican ne réagit pas à l'entrevue télévisée de Bernard Dunn. Tania et Bernard se parlèrent à plusieurs reprises, tous deux à l'affût d'un indice annonçant un geste de Pietro Gordini ou d'un de ses acolytes, mais il n'y eut rien. Tania parla aussi à Yossef, qui lui recommandait toujours la patience, mentionnant que lui et Bernard travaillaient à sa libération. Curieusement, ces communications par cellulaires étaient toujours possibles. Le cryptage les rendait indéchiffrables, mais Bernard s'attendait à ce qu'elles soient détectées, puis empêchées, mais ce n'était pas le cas.

Tania continua ses audiences. Aucun de ses visiteurs ne lui parla de sa situation au Vatican. Elle supposa qu'ils avaient été avertis de ne pas aborder ce sujet ou encore qu'ils s'imaginaient que ces informations étaient fausses. Preuve à l'appui d'ailleurs, Tania Fixx recevait toujours des visiteurs et ne paraissait pas troublée par ces allégations.

Tania donna la communion une autre fois à la messe du dimanche suivant, à la basilique Saint-Paul-Hors-Les-Murs. Le mot s'était répandu et l'église était remplie. La séance de communion dura plus d'une heure, chacun voulant évidemment se rapprocher de Tania et bénéficier de sa lumière.

Début décembre, quelques semaines avant Noël, Bernard l'avertit, dans un message énigmatique, de se tenir prête. Elle n'avait pu obtenir d'autres précisions et se mourait d'inquiétude. Toute la semaine, durant ses audiences, elle fut aux aguets. Particulièrement durant les audiences publiques, elle scrutait chaque visage, se montrait attentive à chacun des gestes des visiteurs, s'imaginant que quelqu'un lui remettrait peut-être un bout de papier, une note écrite. Mais il n'y eut rien.

Le dimanche, on la conduisit à la basilique pour la messe de 10 h 30. Comme le trajet ne durait qu'à peine vingt minutes, le départ se faisait toujours vers 10 h, de sorte qu'elle était dans la sacristie, la petite salle derrière l'autel, au moment où la messe débutait. Elle s'asseyait sur le siège arrière, dans une voiture noire aux vitres teintées. Le chauffeur était accompagné d'un garde suisse qui prenait place sur le siège avant, à sa droite. Évidemment, les portes étaient verrouillées, supposément pour sa sécurité.

La messe se déroulait sans accrocs. Encore une fois, l'église était remplie. Quand vint le temps de la communion, Tania fut conduite près de l'autel et le prêtre lui remit le ciboire contenant les hosties. La foule réagit tel qu'elle le faisait toujours à son apparition : des oh, des exclamations de surprise. Comme elle y était maintenant habituée, elle se posta à gauche du prêtre, devant l'autel, près des premières personnes de la longue file qui s'était déjà formée. Tania remarqua sans s'y attarder qu'il y avait un nombre élevé de jeunes hommes dans la file.

Le prêtre donnait la communion depuis à peine cinq secondes que subitement une vingtaine de jeunes hommes s'avancèrent rapidement et l'entourèrent, lui et Tania. En même temps, plus de cinquante autres jeunes hommes prirent contrôle de la foule, demandant aux gens de ne pas bouger, disant qu'aucun mal ne leur serait fait, que Tania Fixx devait quitter immédiatement la basilique. Les gardes de sécurité étaient neutralisés par des hommes armés tant à l'intérieur qu'à l'extérieur de la basilique.

Cette intervention créa un brouhaha et une cacophonie de cris et d'ordres de demeurer calmes. Pendant ce temps, les hommes qui entouraient le prêtre et Tania se mirent à descendre l'allée centrale et à se diriger vers la porte de la basilique. À mi-chemin, les hommes qui contrôlaient la foule répandirent la rumeur que le pape était mourant et que Tania devait se rendre à son chevet de toute urgence. Il y eut un moment de stupeur et de calme pendant lequel Tania, le prêtre et les jeunes qui les escortaient purent sortir de la basilique.

À l'extérieur, ils marchèrent jusqu'aux portes grillagées qui entouraient le jardin, les franchirent, atteignirent le trottoir, tournèrent vers la droite et, suivant le trottoir, se rendirent jusqu'au jardin, en fait un champ, qui se trouvait à peine cent mètres plus au nord. Pendant qu'ils marchaient, un hélicoptère atterrissait dans le champ. On fit monter Tania à bord et l'hélicoptère décolla immédiatement. Amir était assis à la droite du pilote.

Au sol, les jeunes hommes qui avaient escorté Tania laissèrent aller le prêtre et, continuant leur chemin, rejoignirent la Via Ostiense où les attendaient des voitures. De la même façon, les hommes qui avaient contrôlé la foule sortirent de la basilique et quittèrent rapidement les lieux, sur des motos ou à bord d'autos garées non loin.

Tout s'était déroulé en moins de dix minutes. Les policiers arrivaient maintenant, probablement prévenus par des fidèles, mais il était trop tard.

Tania ne reconnut pas immédiatement Amir à bord de l'hélicoptère. Ce n'est que lorsqu'il lui adressa la parole qu'elle prit complètement conscience de ce qui venait de se passer: l'Agneau lumineux de Dieu était venu à sa rescousse. Mais elle était trop ébranlée par la rapidité et le sang-froid démontré par ses libérateurs pour vraiment apprécier l'opération qui venait d'être exécutée.

L'hélicoptère ne resta en vol que vingt minutes. Il se posa dans un champ près du lac de Martignano, un peu à l'est du grand lac de Bracciano, à environ trente-cinq kilomètres au nord-ouest de Rome. Là, un deuxième hélicoptère attendait depuis peu. C'était un plus gros véhicule, pouvant accommoder six passagers et capable de rejoindre Tunis.

Bernard était à bord. Là, Tania prit totalement conscience de l'ampleur du sauvetage qui lui permettait d'être libre. Elle éclata en sanglots et ne put s'empêcher de se jeter dans les bras de Bernard.

Pendant le vol vers Tunis, Bernard eut tout le loisir de répondre à ses questions et de clarifier comment avait été planifiée son évasion des « griffes du Vatican », comme il se plaisait à le dire. L'idée était de Yossef, qui avait suggéré une opération en plein jour, non violente, dès qu'il avait appris que Tania serait exposée à la vue du public dans la basilique Saint-Pierre. D'avoir finalement dû mettre le plan à exécution à la basilique Saint-Paul-Hors-les-Murs était un avantage. La basilique, située à l'extérieur du centre-ville, était plus facilement accessible et moins de fidèles s'y massaient en temps normal. Le vrai problème consistait surtout à faire entrer quatre-vingt jeunes gens à la messe sans attirer l'attention des gardes de sécurité, puis de neutraliser ces gardes par des personnes armées sans, encore une fois, provoquer une alarme. Tous ces jeunes étaient des adeptes de l'Agneau lumineux de Dieu, qui avaient été entraînés, puis transportés à Rome pour l'opération. L'hélicoptère qui les avait pris dans le jardin près de la basilique était un appareil loué près de Rome. Le vol au-dessus de la ville n'était pas régulier, mais il s'était déroulé sans entrave, et on se démêlerait avec les autorités en temps et lieux. L'hélicoptère dans lequel ils se trouvaient maintenant appartenait à un ami de l'Agneau de Dieu haut placé en Tunisie et toute dérogation aux normes de vol italiennes serait prise en charge par les avocats de ce dignitaire.

En conclusion, ce qui importait, c'était le succès de l'opération.

L'enlèvement de Tania fut signalé à la Sainte Alliance au moment où Tania montait dans l'hélicoptère à la basilique. Quelques minutes plus tard, Pietro Gordini était au courant et un hélicoptère décollait de l'aéroport Leonardo da Vinci à Fiumicino. En vain. Tania était à ce moment presque rendue au point de transfert du lac Martignano. Ils avaient une bonne avance sur leurs poursuivants et c'était amplement suffisant.

Gordini informa monseigneur D'Albini, son patron, qu'il serait impossible de ramener Tania au Vatican à moins d'une opération militaire, ce qui était hors de ses moyens.

— Tania a été enlevée dans les jardins de la basilique papale, monseigneur, il y a à peine une demi-heure.

— Enlevée, vous dites ? Par qui ?

— Probablement par l'Agneau lumineux de Dieu. Bernard Dunn, du Trust Tania Fixx, est à Tunis depuis plusieurs semaines et réside dans les locaux du mouvement.

— Y a-t-il eu effusion de sang ?

— Non. Aucune.

Monseigneur D'Albini garda le silence.

— Nous pourrions immédiatement émettre un communiqué rapportant cet enlèvement, monseigneur, et en imputer le blâme à l'Agneau lumineux de Dieu.

— Non, Pietro. Nous allons garder le silence. Cela vaut mieux. Nous attendrons quelque temps. Il y a assez de publicité nous concernant en ce moment. Nous allons en profiter pour réfléchir à toute cette situation et planifier notre prochaine démarche.

Chapitre 29

Tania retrouva Yossef avec un plaisir évident, un plaisir réciproque d'ailleurs. À son arrivée à la Maison de l'agneau, elle n'avait pu s'empêcher de le prendre dans ses bras et de longuement le serrer contre elle. L'étreinte lui avait été retournée, Yossef se risquant même à lui caresser les cheveux. Il la questionna sur sa santé. Il semblait qu'aucune épreuve n'avait de prise sur elle. Rayonnante, lumineuse, Tania resplendissait, comme toujours.

Elle fit une impression du tonnerre auprès des membres de la communauté. Ils étaient habitués au rayonnement de l'agneau, mais la vue de Tania les émerveilla.

C'était maintenant l'heure du dîner. On assigna une chambre à Tania et on se rejoignit pour le repas, qui fut suivi d'une visite des lieux, guidée par Yossef et Bernard. Elle put voir l'agneau et, étonnée de sa blancheur, le caresser en lui parlant. Jasmine, l'assistante de Yossef, passa le reste de la soirée avec elle pour organiser son environnement matériel : vêtements, accessoires, travail, bref tout ce qui lui était nécessaire.

Le lendemain matin, Bernard fit parvenir un communiqué aux médias dans lequel il expliquait le départ de Tania du Vatican. Il en revendiquait la responsabilité totale au nom du Trust Tania Fixx et exposait brièvement les raisons de ce départ. D'ailleurs, la nouvelle était connue et plusieurs agences étaient déjà à la recherche d'informations auprès de l'Agneau lumineux de Dieu. Bernard promit aussi que Tania commenterait elle-même son séjour au Vatican dans les jours prochains et qu'elle accepterait des entrevues à ce sujet.

Bernard passa du temps avec Tania afin de faire le point sur le TTF. Yossef avait mis un petit local à sa disposition, sobrement meublé d'un bureau, d'un fauteuil et de deux chaises. Assis devant une table de travail, ils réfléchissaient aux prochaines étapes à entreprendre.

Bernard se rappelait la conversation durant laquelle Yossef lui avait exprimé le souhait que Tania rejoigne l'Agneau lumineux de Dieu. Il hésitait par contre à aborder ce sujet si tôt après l'expérience du Vatican et s'y prit plutôt de façon détournée.

— Tu te souviens que le 21 décembre est la Fête de l'hiver ici et, comme tu as pu le constater toi-même, les préparatifs vont bon train. Les aménagements extérieurs sont terminés, ou presque, et les modifications intérieures ne nécessiteront que quelques heures. En fait, ils sont prêts.

— Oui, j'ai bien vu.

— Yossef m'a déjà demandé si tu désires participer à cette fête.

— Déjà? Il t'a demandé cela quand?

— Avant ton arrivée. Lors d'une discussion sur le mouvement et sa nouvelle orientation. Yossef veut d'ailleurs s'entretenir avec toi à ce sujet.

Tania réfléchit quelques secondes.

— Non. J'aimerais que le TTF se distancie de toute manifestation qui pourrait conduire à une fausse conclusion sur nos orientations.

— Mais tu réalises que la participation de l'Agneau lumineux de Dieu à ton départ du Vatican n'est pas un secret.

— Je sais. Cette participation ne veut pas dire que nous nous rallions à leur mouvement.

— Non.

— J'aimerais plutôt continuer le plan conçu avant mon séjour au Vatican. Nous en avions exécuté deux étapes, jusqu'à Jérusalem. Il serait facile d'en exécuter deux autres, Beyrouth par exemple, que nous avions préparée, et une autre ville. Téhéran serait mon choix. Cet endroit est aux prises avec de violentes réactions religieuses. Ça nous permettrait de montrer à tous que nos buts n'ont pas changés.

Bernard avait déjà songé à cette remise en route du plan initial.

— En modifiant légèrement notre mode de fonctionnement, renchérit-il, nous pourrions être à Beyrouth au moment de la Fête du 21 décembre et à Téhéran deux jours plus tard. Nous aurions le temps de faire venir quelques personnes de Boston. Incluant ton passeport, que Louise avait rapporté.

— Quelles modifications suggères-tu?

— Le cortège n'est peut-être plus nécessaire. C'est trop encombrant.

— Non. J'y tiens. C'est la marque de nos interventions.

— Un cortège réduit, alors.

— Non, Bernard. Conservons l'approche que nous avions élaborée. Je me fais plus de souci au sujet de la sécurité. La CIA est-elle réellement à nos trousses?

— Je ne sais pas.

Bernard se leva et arpenta la pièce en réfléchissant.

— J'ai deux idées à ce sujet. On pourrait se servir d'Amir. En reprenant contact avec ses supérieurs, Amir pourrait servir d'intermédiaire. J'ai par contre de la difficulté à prévoir comment l'agence réagirait. C'est risqué. L'autre possibilité serait de contacter moi-même la CIA et de demander sa protection, de la tenir au courant de nos activités.

— Ne crois-tu pas que cette deuxième voie est plus risquée?

— Pas réellement. Nous pourrions mettre Amir dans le coup. Il s'y connaît mieux que nous en matière de surveillance et, disons le mot, d'espionnage.

— Bernard, je te laisse le soin de prendre les mesures nécessaires. Je vais de toute façon parler à Amir.

— D'accord. Voyons maintenant comment nous pouvons organiser un voyage à Beyrouth et Téhéran.

Yossef monopolisa Tania tout l'après-midi.

Comme il y avait des visites de malades au salon d'exposition de l'agneau jusqu'à 16 h, ils évitèrent cette section et s'installèrent à la salle à manger, à une longue table réfectoire. Yossef, comme souvent, portait des vêtements simples, un jean et un chandail léger.

Il exposa très en détail l'évolution récente du mouvement. Des bases à nette tendance islamique du début, il traça son cheminement jusqu'à l'émergence du concept de renouveau non pas religieux mais spirituel, qui caractérisait maintenant l'Agneau lumineux de Dieu. L'apport de ses adjoints Ahmed Ben Salem, Samir Haddad et Rafik Chakroun, que Tania avait rencontrés la veille au dîner, avait selon lui accéléré cette évolution.

Il parla beaucoup du nouveau message de l'Agneau lumineux de Dieu, à portée universelle et à connotation humaniste selon lui, et de sa propagation à l'aide d'un document simple et accessible à tous, le *Petit Livre.*

Tania écoutait attentivement et posait beaucoup de questions. Ces nouvelles bases de l'Agneau lumineux de Dieu la rejoignaient facilement. Elle se rappelait sa formation universitaire et, surtout, son travail dans les prisons du Massachusetts auprès des criminels à qui elle enseignait comment écouter leur voix intérieure pour trouver en eux les outils requis pour leur réhabilitation.

Elle lut le *Petit Livre,* à la demande de Yossef, ce qui la fit réfléchir. Yossef en expliqua l'utilisation projetée, surtout l'impact qu'il en attendait. Il réitérait que le *Petit Livre* n'exigeait aucune adhésion, que contrairement au Coran et à la Bible il n'était pas présenté comme un texte révélé.

Vers la fin de la journée, lorsque la période d'exposition de l'agneau aux visiteurs fut terminée, Yossef emmena Tania visiter les installations projetées pour la Fête de la lumière qui débuterait le 21 mars, dans un peu plus de trois mois. Et il lui posa une seule question:

— Croyez-vous que vous serez avec nous pour cette fête?

Tania marqua un temps de réflexion, puis répondit:

— J'ai besoin de temps, Yossef. Je ne veux pas vous décevoir, et en même temps je me dois d'être honnête envers moi-même et le TTF. J'aimerais reporter cette discussion à plus tard.

En soirée, Tania rencontra Amir. Il faisait chaud et elle l'invita à aller marcher autour du complexe sous prétexte de s'informer sur les installations réalisées pour la Fête de l'hiver.

Bien qu'il se cachât derrière une barbe et de longs cheveux, elle reconnaissait son allure fière, sans peur. Mais il y avait moins de froideur. Amir n'avait jamais été très loquace et ne parlait toujours pas beaucoup. Par contre, ses propos apparaissaient moins incisifs. Il semblait être plus à l'écoute.

Elle lui fit d'abord raconter la partie de sa vie qu'elle ne connaissait pas, son enfance, son séjour dans l'armée, sa condamnation en cour martiale. Puis elle lui posa des questions sur ce qui avait motivé sa fuite vers Oued Ellil et sur ce qu'il entrevoyait comme vie maintenant.

— J'aimerais être utile aux autres, répondit Amir.

— Comment? lui demanda Tania.

— En les aidant. En les protégeant.

— Avec Yossef?

Amir la regarda.

— Avec vous, Tania. Je sais que vous n'avez plus confiance en moi. Je comprends votre réaction.

— Crois-tu que la CIA te considère encore comme l'un de ses agents?

— Probablement que non. Mais je n'en suis pas certain.

— On me dit que l'agence a le bras long et qu'elle n'oublie pas facilement.

— Je ne sais pas, Tania. J'essaie d'oublier cette période.

Tania en resta là. Amir voulait se racheter, c'était évident. Elle laisserait Bernard décider de la suite.

Le jour suivant, Tania rencontra les médias. Bernard avait organisé trois entrevues. La première avec une journaliste de Tunis 7, la seconde avec un reporter de la BBC et la dernière avec une envoyée de CNN.

Bernard avait choisi cette journée parce qu'il n'y avait pas de session d'exposition de malades à l'agneau. Les allées et venues des équipes de reportage seraient ainsi simplifiées. Il avait brièvement passé en revue les positions de Tania en réponse aux questions qui ne manqueraient pas d'être posées, et à 10 h ils étaient prêts. Tania portait une robe noire que venait de lui acheter Jasmine et un petit collier de perles, qu'elle lui avait prêté. Bernard arborait son costume d'entrevue, comme il le disait, soit un complet marine, une chemise blanche et une cravate assortie. L'équipe de reportage de Tunis 7 était prête aussi.

L'entrevue se déroula comme Bernard l'avait escomptée. On questionna abondamment Tania sur elle-même d'abord et sur les conséquences de sa luminosité sur sa vie. Puis la journaliste lui demanda de préciser son rôle au TTF pour finalement aborder les événements récents, soit son séjour au Vatican, son retour et enfin sa présence à l'Agneau lumineux de Dieu.

Tania, très calmement, souvent assistée de Bernard qui, au besoin, complétait ou précisait ses réponses, décrivit les semaines qu'elle avait passées au Vatican. Elle n'oublia rien : l'isolement qu'elle avait été forcée de subir, ses tentatives d'évasion, les audiences et leur rituel, et, surtout, le chantage de Pietro Gordini concernant sa participation aux messes à la basilique Saint-Paul-Hors-les-Murs. Elle clarifia aussi sa présence à la Maison de l'agneau, expliquant que la participation de l'Agneau lumineux de Dieu à son évasion du Vatican ne signifiait pas qu'elle se joignait au mouvement ni qu'elle en adoptait la philosophie.

Bernard répondit de façon très claire aux questions concernant le départ de Tania du Vatican. Il parla de l'organisation de son enlèvement des « griffes du Vatican », et de son succès sans aucune blessure ni bousculade.

Les deux autres entrevues furent relativement similaires. Le reporter de la BBC parut horrifié des manipulations religieuses du Saint-Siège et s'attarda plus longuement à cet aspect. L'envoyée de CNN, quant à elle, posa plus de questions sur les activités que planifiaient le TTF et le rôle que Tania y jouerait, compte tenu des péripéties que le Trust lui avait fait vivre récemment.

Ces reportages furent diffusés le jour même, en soirée. Et le téléphone commença à sonner immédiatement.

Yossef reçut un appel de Zine Chikri, le ministre des Affaires religieuses, qui lui demanda si Tania et Bernard accepteraient de le rencontrer accompagné du président de la république. La rencontre aurait lieu au bureau du président, à Tunis, et ce dernier s'occuperait d'assurer leur transport, sous escorte militaire. L'entrevue serait en partie télévisée. Ni Tania ni Bernard n'y virent d'objection. C'était d'ailleurs la première fois que le dirigeant d'un État proposait une telle rencontre.

Une limousine escortée de plusieurs motos vint les prendre quelques jours plus tard et les conduisit au palais présidentiel de Carthage. Le président et le ministre Chikri les reçurent dans un salon particulier richement meublé et décoré. Tania, en tailleur sombre, fit comme toujours un effet troublant sur ses hôtes. Une caméra de télévision captait la visite.

La conversation se borna à des échanges sur la vie de Tania, le TTF et bien sûr l'Agneau lumineux de Dieu. Le ministre Chikri posa quelques questions sur le séjour de Tania au Vatican, sans trop insister. On leur fit visiter quelques salles du palais, un ensemble grandiose de suites et de jardins. Puis le président les remercia de leur visite, leur souhaita un excellent séjour dans son pays et leur assura de sa plus entière collaboration si son assistance était requise.

Tania et Bernard se rendaient compte que cette visite de courtoisie se voulait une marque de respect envers le TTF et l'Agneau lumineux de Dieu, qu'on avait associés.

Chapitre 30

Omar Ahjedin était en Égypte depuis déjà plusieurs mois. La « Mission d'Égypte », presque détruite par l'attentat dans lequel Ali avait péri, avait non seulement repris vie, mais s'était développée. Omar avait continué la Petite Prière du Vendredi qu'Ali avait instaurée. Il y avait ajouté des commentaires qui, rapidement, s'étaient transformés en une sorte de sermon.

Yossef l'appelait initialement presque tous les jours. Puis, avec les semaines, par manque de temps, leurs conversations s'étaient raréfiées.

Omar avait réagi avec force à l'abandon des prières du *Petit Livre*. Il en avait discuté à plusieurs reprises avec Yossef, ainsi qu'avec Rafik Chakroun, qui dirigeait les affaires religieuses du mouvement.

Peu de temps après la Fête de l'automne, Yossef s'était déplacé au Caire et les deux hommes avaient tous deux longuement discuté de la nature du renouveau prôné par la nouvelle direction.

Pour tout dire, Omar n'approuvait pas cet abandon de l'islam. Selon lui, les principes énoncés dans le *Petit Livre* étaient peut-être spirituellement supérieurs aux enseignements traditionnels, mais il voulait les présenter dans un contexte propice à un engagement de la part des adeptes et soutenus par un rite qui en garantirait l'observance.

Les discussions n'aboutirent pas à une entente. D'ailleurs, Yossef ne voulait pas d'entente: il désirait l'acceptation des directives du mouvement. Ce qu'Omar ne fit que du bout des lèvres.

Omar ne modifia ni son approche ni ses enseignements. Il continua ses prières et ses sermons, qui devinrent de plus en plus directifs. Il ajouta aussi un cérémonial complexe à la communion, lequel comportait une déclaration de promesses et de normes de comportement.

Yossef n'était pas au courant de ces transformations. Une visite d'Ahmed Ben Salem et de Rafik Chakroun à la fin octobre, au moment ou Tania était détenue au Vatican, n'avait pas donné l'alerte, cette visite ayant eu lieu en début de semaine, donc sans la possibilité d'assister à la Petite Prière du Vendredi.

Personne n'était allé au Caire depuis. Yossef et Omar se parlaient régulièrement, et tout semblait progresser correctement. Omar avait même trouvé quelques collaborateurs qui l'aidaient dans son travail et s'occupaient des deux autres lieux de culte ouverts depuis peu. Plusieurs milliers de personnes avaient communié, et les offrandes généraient des fonds qui dépassaient largement les besoins actuels de la « Mission d'Égypte ».

Puis Omar se décida à clarifier sa situation une fois pour toutes avec Yossef et lui indiqua qu'il voulait le rencontrer. Il irait lui-même à Oued Ellil. Le moment était bien choisi, la Fête de l'hiver arrivait sous peu. Yossef avait accepté et l'arrivée d'Omar avait eu lieu le jour de la visite de Tania et Bernard au palais présidentiel.

Omar était arrivé après le lunch et s'était immédiatement rendu auprès de Yossef. Les deux hommes contrastaient vivement: Omar en djellaba et sandales, Yossef en jean, chandail et souliers de course.

Yossef le renseigna sur le séjour de Tania et Bernard, ainsi que sur leur visite au président de la république. Omar écoutait poliment, sans d'autres commentaires que des marques d'assentiment, d'intérêt.

Yossef le questionna ensuite sur son travail au Caire. Ce qui créa l'occasion qu'Omar attendait.

— Tout va très bien. Nous progressons plus rapidement que nous l'avions espéré. Nos deux nouveaux lieux de prière accueillent beaucoup plus de gens que prévu si peu de temps après leur ouverture. Notre nouveau cérémonial y est pour quelque chose.

— Un nouveau cérémonial?

— Tu sais que je ne suis pas d'accord avec l'orientation qu'a prise le mouvement dernièrement.

Yossef écoutait.

— Je tiens à ce que des prières fassent partie de nos enseignements et à ce que les nouveaux adeptes prennent des engagements. Nous en avons déjà discuté. Plus je réfléchis, plus j'estime que vous faites fausse route.

— Tu n'as donc pas suivi nos directives.

— Non.

— Tu réalises que ta position va à l'encontre de l'engagement que nous avons pris toi et moi quand nous avons bu du sang de l'agneau?

Omar ne répondit pas.

— Tu ne peux pas adopter une philosophie qui contredit ce que nous prônons, Omar!

Pas de réponse.

— Je vais devoir te relever de tes fonctions. Immédiatement.

— Non, Yossef. Mes fonctions sont maintenant différentes des vôtres. Je vais continuer mon ministère. À ma façon. C'est ce que je suis venu te dire.

— Tu te sépares du mouvement?

Omar se leva et se prépara à partir.

— Oui. C'est mieux ainsi. Appelle ça comme tu le veux: un schisme, un déni, une protestation. Je ne désire pas me quereller avec toi. Simplement enseigner différemment. L'agneau ne m'est plus nécessaire depuis longtemps. Je n'ai jamais pu profiter de sa présence, de toute façon.

Il tendit la main à Yossef.

— Je te souhaite bonne chance. Tu seras toujours le bienvenu chez moi.

C'était la première fois que l'autorité de Yossef était contestée et, ne sachant pas vraiment quelle attitude adopter, celui-ci convoqua une réunion d'urgence dès qu'Omar fut parti.

Il avisa Ahmed, Samir et Rafik de la défection d'Omar pour des raisons de non acceptation de la direction prise par le mouvement. Rafik en particulier discuta longuement des raisons de ce départ, que Yossef n'avait pu empêcher. Cela créait une situation non seulement incongrue, mais potentiellement dangereuse selon lui. Toute mésentente sur des éléments de dogme ou des procédures importantes avait dégénéré en conflit violent dans la plupart des religions. L'islam inclus.

Finalement, on réalisa qu'à moins d'une intervention violente, ce qui était impensable, il n'y avait rien à faire. L'Agneau de Dieu comportait maintenant une faction séparée, aux enseignements non conformes aux normes.

Ahmed mit le point final à cette discussion en disant:

— Mais n'est-ce pas un de nos principes fondamentaux de ne pas faire de demandes, de laisser toute liberté à quiconque veut accepter notre message? Omar est libre. Il peut agir selon ce qu'il croit être la vérité. Comme sont aussi libres tous ses adeptes, tous ceux qui décideront de le suivre.

Chapitre 31

Les préparatifs du voyage à Beyrouth et Téhéran s'étirèrent sur plusieurs jours. Bernard nolisa un petit avion de la firme américaine avec laquelle ils faisaient affaire normalement et fit venir de Boston le personnel de soutien dont ils avaient besoin: une assistante pour s'occuper des aspects opérationnels et financiers, plus les membres de leur escorte de déplacement, des étudiants. Il fit aussi venir tout ce dont Tania pourrait avoir besoin de son appartement de l'hôpital militaire et en profita pour tenir l'hôpital au courant des démarches qu'ils entreprenaient. Tous avaient suivi les développements de «l'affaire du Vatican», comme ils appelaient cet épisode.

Il demanda enfin au personnel en place à Boston de se charger de l'organisation des visites aux hôpitaux de Beyrouth et Téhéran, ainsi que des visas, des réservations hôtelières et des transports terrestres requis dans les deux villes. Enfin, il leur rappela d'entrer en contact avec les ambassades américaines et les autorités policières locales afin de les prévenir de leur visite prochaine et des mouvements de foule qui risquaient de se produire.

Il eut de sérieux entretiens avec Amir. Devant le risque que représentait à leurs yeux la CIA, ils décidèrent d'employer une stratégie mixte: Bernard agirait comme informateur volontaire auprès du Mentor, si ce dernier acceptait son offre, et Amir comme garde personnel de Tania et chef de leurs services de sécurité, entouré d'un personnel dévoué à l'Agneau lumineux de Dieu et parlant l'arabe.

Bernard prit donc contact avec le Mentor, dont les coordonnées étaient toujours en possession d'Amir. C'est d'ailleurs ce dernier qui fit l'appel pour ensuite passer le combiné à Bernard.

Le Mentor suivait apparemment toujours le dossier TTF, car il connaissait tous les événements récents impliquant Tania. Bernard aborda finalement le sujet qui l'intéressait de la façon suivante:

— Nous avons besoin de votre aide, monsieur.

— J'avais déjà deviné cette possibilité.

— Nous avons appris que vos services cherchaient à neutraliser notre Trust. Plus précisément, à empêcher Tania Fixx d'agir.

— Ces informations sont erronées, monsieur Dunn. Elles vous ont probablement été fournies par Pietro Gordini.

— Vous connaissez Gordini?

— Il nous a contactés. Comme vous le faites présentement.

— Pour quelles raisons? En rapport avec Tania?

— Oui. Il nous informait que madame Fixx serait détenue indéfiniment au Vatican.

Bernard digéra cette information un moment. Que venaient faire ces révélations?

— Pourquoi vous a-t-il informés de cette décision?

— Il croyait, comme vous, que nous avions un programme d'élimination du TTF.

Bernard ne répondit pas tout de suite, surpris.

Le Mentor ajouta:

— Vous mentionniez avoir besoin de notre aide, monsieur Dunn.

Reprenant le fil de la conversation, Bernard laissa tomber intentionnellement:

— Nous croyons que le TTF et Tania Fixx font toujours partie de vos préoccupations et que l'absence d'agents auprès de nous ne vous facilite pas la tâche. Alors je vous propose d'être moi-même ce contact.

— Vous-même?

— Oui. Le Trust et madame Fixx sont d'accord avec cette démarche. Elle suppose un changement de perspective de votre part: vous cessez de nous considérer comme un danger potentiel, et nous vous tenons au courant de nos activités.

Le Mentor gardait le silence. Il soupesait la portée de la demande, réalisant pleinement que quel que soit l'informateur, la CIA pourrait toujours agir à sa guise en cas de nécessité. Bernard attendit.

— Vous devrez écouter et suivre nos recommandations, monsieur Dunn, dit finalement le Mentor.

— Pour autant qu'elles seront raisonnables, bien sûr.

— Elles seront raisonnables.

— Cela suppose que vous mettez fin au plan d'élimination.

— Il n'y a jamais eu de plan d'élimination, comme vous dites, monsieur. J'ai par contre un conseil à vous donner: méfiez-vous de Pietro Gordini et des services secrets du Vatican. Et si ça peut vous être utile, vous pouvez faire confiance à Amir Sharouf. J'aimerais que vous communiquiez avec moi une fois par semaine, sauf urgence. Dans ce cas, vous pouvez me joindre en tout temps. Je vous remercie de votre appel, monsieur Dunn. À bientôt.

Le Mentor raccrocha.

La visite à Beyrouth se déroula sans accrocs. Les déplacements de l'aéroport à l'hôtel se firent sous escorte, Tania voyageant vêtue à la manière arabe pour dissimuler sa luminosité. Des malades furent visités à l'hôpital Makassed, à l'hôpital Saint-Georges et finalement à l'Hôtel-Dieu. Plusieurs des personnes qui devaient être vues trois mois plus tôt étaient malheureusement décédées, ce qui attrista Tania.

L'escorte, colorée et enjouée, fit l'effet habituel. Les gens massés autour des portes des hôpitaux se recueillaient. Plusieurs s'agenouillaient. Tout était filmé par les stations de télévision locales. Bernard faisait partie de l'escorte: il avait pris le rôle de l'homme en noir, portant la boîte noire contenant les pendentifs que Tania remettait aux malades.

En fin d'après-midi, Bernard accorda deux entrevues: la première à un reporter de la chaîne LBC, la seconde à un journaliste de la chaîne Al Manar, contrôlée par le Hezbollah. Dans les deux cas, il réitéra les buts et la mission du TTF et de Tania, parla brièvement de l'affaire du Vatican, et en réponse aux questions concernant l'Agneau lumineux de Dieu, souligna l'aide que le mouvement leur avait apportée ainsi que leur évolution récente vers un mode d'action plus détaché des préceptes religieux du début, évolution avec laquelle le TTF était d'accord. Il souligna le fait que leur visite coïncidait avec la Fête de l'hiver que l'Agneau lumineux de Dieu célébrait, et en profita pour exprimer des vœux de succès et de bonne célébration de la part du TTF.

Avant de se coucher, Bernard appela le Mentor pour le tenir au courant des événements des derniers jours, de ses déclarations à la télévision et de leur départ le lendemain pour Téhéran.

Leur séjour à Téhéran fut agréable. Il faisait froid et il y avait de la neige dans les rues. Ils visitèrent plusieurs malades de l'hôpital Imam Khomeini, non loin de l'hôtel Laleh où toute l'équipe était descendue. Les gens les attendaient partout: à leur arrivée à l'aéroport, à l'hôtel, à l'hôpital, il y avait foule. Une foule souvent silencieuse, mais respectueuse.

Bernard accepta une entrevue de la chaîne Al Jazeera, où il fit les mêmes commentaires que lors des entrevues à Beyrouth.

Sans s'être consultés, tous étaient surpris par le calme et la sérénité qui entouraient leur visite. Bernard et Amir, en particulier, avaient craint cette décision de Tania. Mais tout se déroulait comme si leur présence n'était pas plus importante que celle de n'importe quelle vedette du sport bien connue.

Ils étaient de retour à Oued Ellil le 24 décembre, la veille de Noël, où les attendait une fête à l'américaine, comme l'annonça Yossef. Le soir même, en effet, toute l'équipe du TTF fut invitée à un dîner spécial. Un réveillon en quelque sorte.

Yossef voulait souligner deux choses: le succès de la Fête de l'hiver, à laquelle plus de sept mille personnes avaient participé, et son respect des réjouissances familiales entourant la veille de Noël, comme, selon lui, cela se faisait dans les familles chrétiennes. Chacun avait même un cadeau personnalisé, dûment emballé par Jasmine, qu'on avait déposé aux places qui leur étaient assignées aux tables dressées pour l'occasion.

Yossef avait placé Tania à sa droite et mêlé les membres du TTF à son propre groupe.

Ce fut une réussite. Il y avait plus de trente personnes, élégamment vêtues, de la musique sur laquelle on put danser, ce que n'avait pas fait Tania depuis trop longtemps. À vrai dire, c'était la première fois depuis son accident, depuis l'apparition de ses dons, que Tania participait à une fête, à un événement où son apparence ne la différenciait pas des autres. Elle était une invitée. Tout simplement. Et une femme, comme le lui faisait bien sentir Yossef. Ce qui la ravit, compte tenu des sentiments qu'elle n'osait pas s'avouer à son égard, et aussi la troubla, profondément.

Le cadeau qu'on lui offrait la surprit encore davantage. C'était un pendentif similaire à celui qu'elle offrait aux malades, mais la chaîne et le cœur d'argent était remplacés par une chaîne et un cœur en or orné d'un superbe diamant. Une petite carte signée Yossef était déposée au fond de la boîte. Ce geste la remua profondément, plus qu'elle ne voulait le laisser paraître.

Le lendemain, jour de Noël, on emmena les gens du TTF visiter Tunis et ses environs.

Tania profita de la matinée pour revoir le compte-rendu du voyage à Beyrouth et Téhéran avec Bernard. Pour une raison inconnue, ils partageaient un même sentiment d'incertitude. Le séjour à Téhéran en particulier leur laissait un goût d'inachevé. Tania avait l'impression qu'on avait toléré leur présence, tout au plus, ce à quoi Bernard acquiesçait, ajoutant qu'il n'aurait pas été surpris si on leur avait carrément refusé l'entrée au pays.

En conclusion, ils crurent que Beyrouth et Téhéran n'avaient pas atteint tous les résultats escomptés. Bien sûr, Tania avait pu guérir plusieurs malades, ce qui était conforme à sa mission, mais elle aurait pu en faire autant à Boston, ou à Tunis. Les retombées d'un message rejoignant celui de l'Agneau lumineux de Dieu n'étaient ni observables, encore moins mesurables.

En fin d'après-midi, Yossef invita Tania à une promenade sur la plage. Ils se rendraient en voiture au nord de Gammarth, où il y avait de belles plages semi-désertes l'été, mais qui seraient totalement désertes fin décembre. Amir et quelques gardes les suivraient de près. Tania accepta sur le champ. C'était une activité qui aurait été impensable ailleurs.

Effectivement, la plage était totalement déserte. Stationnés sur le sable, près de l'eau, les deux voitures leur procuraient une possibilité de quitter les lieux rapidement advenant un problème.

Tania avait revêtu un manteau chaud, long, avec capuchon, la couvrant jusqu'aux genoux. Yossef avait enfilé un épais tricot de laine. Ils marchaient pieds nus dans le sable, l'eau froide les éclaboussant parfois jusqu'aux genoux. Amir et trois jeunes hommes les suivaient à quelques pas de distance.

Yossef lui parla de la défection d'Omar et de la décision de le laisser libre d'agir selon ses convictions. Tania l'écoutait et lui manifestait distraitement son accord, plus intéressée par la mer, le paysage et ce qu'elle ressentait pour Yossef.

Puis ils marchèrent en silence pendant plusieurs minutes. Jusqu'à ce qu'elle lui demande:

— Comment entrevoyez-vous les périodes qui viennent, Yossef?

Ce dernier se demanda si la question se rapportait à lui personnellement ou au mouvement. Comme il hésitait à parler de lui, il répondit en lui décrivant ce qu'il entrevoyait pour l'Agneau lumineux de Dieu dans les prochains mois.

Ils marchaient déjà depuis un bon moment et s'étaient éloignés des voitures. Amir se rapprocha et leur suggéra de revenir sur leurs pas.

Tania releva son manteau et sa robe, et entra dans l'eau, jusqu'aux cuisses. Elle réagit au froid et cria, tout en riant. Yossef la regardait, en fait la contemplait, lumineuse, resplendissante dans cette fin de journée d'hiver. Il aurait aimé courir la rejoindre dans l'eau, la prendre dans ses bras. Il lui demanda enfin:

— Je vous pose la même question, Tania. Comment entrevoyez-vous votre vie, maintenant?

Tania prit un long moment avant de répondre.

— Je me pose cette question depuis longtemps. Je crois n'avoir jamais trouvé de réponse satisfaisante.

Puis, après un moment de silence, elle ajouta:

— Jusqu'à très récemment, Yossef. Je ressens un intérêt particulier de votre part depuis quelque temps. Est-ce que je me trompe?

Yossef la regarda, surpris.

— Et je me débats avec cette possibilité que vous m'offrez, sans me le dire, Yossef.

Elle s'arrêta, prit ses deux mains dans les siennes, le regarda dans les yeux, et lui dit:

— Vous êtes constamment dans mes pensées. Vous le saviez?

Yossef ne bougeait pas, et attendait.

— Mais ma condition m'empêche pour l'instant d'agir selon mon cœur. Je vous propose donc une trêve. L'Agneau de Dieu et le TTF se doivent de continuer leur travail, d'aider les gens. Reportons toute autre considération à plus tard.

Déçu, Yossef se tut, signifiant ainsi son accord.

Songeurs et émus, ils reprirent le chemin du retour.

Chapitre 32

Le personnel du TTF quitta Oued Ellil le 29 décembre, sur des vols réguliers. Quelques jours plus tard, Bernard et Tania décidèrent que le moment était venu de retourner à Boston.

Tel que convenu, Bernard en avisa le Mentor, qui ne fit aucun commentaire.

Le cœur serré, Tania fit ses adieux à Yossef. Peiné, ce dernier réussit à garder une certaine distance, attitude qu'il avait adoptée depuis leur marche sur la plage.

Bernard fit venir l'avion privé qu'ils louaient normalement et ils partirent le 2 janvier, accompagnés d'Amir.

Le personnel de l'hôpital militaire près de Boston avait accueilli Tania avec beaucoup de chaleur. C'était comme un retour à la maison.

Il y avait maintenant plus d'un mois qu'elle était rentrée.

Durant sa longue absence, le TTF avait reçu des milliers de demandes d'intervention, de partout. Elles avaient été classées par continent, puis par pays, enfin par importance dans chacun des pays, selon les critères du TTF. Tania avait noté la quantité élevée de demandes provenant d'Afrique noire, soit des pays au sud du Sahara. À certains endroits, le sida sévissait de façon affreuse, affectant jusqu'aux enfants en bas âge.

En consultant ce dossier plus en profondeur, elle avait remarqué que deux pays en particulier, très touchés par ce fléau, étaient à l'origine d'un grand nombre de demandes: le Cameroun et l'Afrique du Sud. Jusqu'à présent, le TTF ne s'était jamais attardé à ces pays.

Tania en avait parlé aux dernières réunions du Trust, qui avait engagé une étude sur la possibilité de se rendre dans ces pays. Les résultats de l'étude étaient maintenant prêts et Bernard, toujours président du Trust, avait convoqué une réunion afin de les présenter.

Tania, Amir et Nicole Pettigrew, maintenant en charge des finances et de la comptabilité, étaient assis autour de la table de la salle de réunion et l'écoutaient attentivement. Bernard, debout, faisait face à une carte de l'Afrique posée sur un chevalet et terminait son exposé.

— Finalement, les demandes que nous avons reçues reflètent les conclusions des derniers relevés d'ONUSIDA, qui montrent que les taux d'infection les plus élevés se situent dans les pays à l'extrême sud du continent, dont l'Afrique du Sud, suivis de très près par le Cameroun, ainsi que le Congo et la République centrafricaine. Ces deux derniers pays, cependant, sont aux prises avec des conflits qui ne permettent pas de s'y rendre pour l'instant.

— Ce n'est donc pas une coïncidence, remarqua Tania.

— Non. Et une visite au Cameroun et en Afrique du Sud serait un geste tout à fait en accord avec notre mission. Il serait temps d'apporter notre soutien à ces pays.

Il s'assit, pris une pochette portant le logo du TTF, l'ouvrit et continua:

— Nous avons contacté des organisations d'aide actives au Cameroun et en Afrique du Sud. Il est à noter que le Cameroun est un pays aux ressources très limitées, beaucoup plus que l'Afrique du Sud. Nous avons élaboré deux scénarios de visites s'échelonnant sur une semaine, sans tenir compte des déplacements pour s'y rendre et revenir. Dans le premier, nous nous concentrons sur le Cameroun seulement, pendant sept jours. Nous parcourons le pays presque en entier, rejoignant des régions très négligées par les autorités locales. Dans le deuxième scénario, trois journées sont consacrées au Cameroun, où nous visitons Yaoundé et Douala seulement, et trois autres à l'Afrique du Sud, soit Cape Town et ses environs. Une journée est requise pour le transport.

— Je préfère le premier scénario, dit instantanément Tania.

— C'est ce que nous pensions, dit Bernard en tournant quelques pages de son document.

Il enchaîna:

— Nous pouvons terminer nos préparatifs d'ici dix jours si nous réglons immédiatement les éléments suivants.

La discussion se concentra alors sur l'opportunité de se déplacer avec l'escorte habituelle ou non dans un pays où les conditions de transport et de logement seraient souvent difficiles, ainsi que sur les questions entourant la sécurité de Tania en particulier. Amir jugeait qu'une garde armée de dix personnes devait faire partie de leur personnel, car le Cameroun n'était pas à l'abri d'enlèvements pour fins de rançon et la police locale, de même que l'armée, n'étaient pas fiables. On décida finalement qu'une escorte réduite à deux jeunes « assistants rouges », plus Bernard, serait suffisante et qu'une garde armée de six personnes choisies par Amir conviendrait. Il faudrait par contre obtenir l'autorisation de faire entrer au Cameroun des gens armés. Enfin, on décida que le départ aurait lieu douze jours plus tard, un dimanche.

Bernard contacta le Mentor pour l'en aviser. Ce dernier lui posa de nombreuses questions sur les déplacements prévus et les modes de transport envisagés. Il ajouta que la CIA préviendrait les personnes appropriées au Cameroun pour éviter des « retards inutiles », quel que fût le sens exact de cette remarque.

Durant la semaine qui suivit, Tania acquiesça aux demandes des autorités de l'hôpital, qui encore une fois lui firent passer une batterie de tests médicaux. On préleva des échantillons, fit des biopsies. Et on lui rapporta que tout semblait normal. Tania n'avait pas eu de rapports sexuels depuis son accident et on la questionna sur ce point. Le résultat d'une fécondation et la possibilité de transmission de sa luminosité et des pouvoirs qui y étaient associés les intéressaient au plus haut point.

Durant cette semaine également, le TTF reçut un don important: la fondation Bill Proctor, créée par un milliardaire ayant fait fortune dans l'alimentation rapide, lui versa cent millions de dollars, demandant tout simplement que le TTF taise la provenance de cette contribution et n'en fasse aucune publicité. Cette fondation mentionnait que madame Fixx faisait œuvre humanitaire au mépris de sa propre existence et que de telles actions se voyaient si rarement qu'elle se devait de l'encourager.

Le moment du départ arriva.

Comme d'habitude, un avion privé avait été loué pour la durée du voyage. Toute l'équipe y prenait place, soit douze personnes: Tania, Bernard, Amir, Nicole, les deux jeunes assistants de l'escorte et les six gardes de sécurité. Première escale: Douala.

L'avion s'y posa à 10 h 30 le matin, heure locale, après une escale de ravitaillement à Paris. Tania, Amir et quelques autres passagers avaient pu dormir; Bernard et Nicole n'avaient pas fermé l'œil. Un détachement militaire local les attendait. Ainsi qu'une foule massée à la sortie des postes de contrôle douanier. Tania avait essayé de camoufler son rayonnement sous un manteau et un béret, mais ce fut sans succès. La foule, bruyante, l'acclamait, applaudissait, chantait. Tant les militaires locaux que la garde dirigée par Amir n'arrivaient qu'avec peine à contenir les démonstrations des gens venus les accueillir.

Ils parvinrent finalement à l'hôtel Méridien à bord d'un autobus réservé pour la circonstance environ quarante minutes plus tard, après avoir traversé des bidonvilles où, à plusieurs reprises, leur convoi avait été salué par des gens massés le long de la route. Bien sûr, à l'hôtel, les gens attendaient leur arrivée, ainsi qu'une caméra de télévision. On avait réservé les chambres au dernier étage, et des gardes étaient postés près des ascenseurs.

L'équipe put récupérer du décalage horaire jusqu'au lendemain.

Les visites aux malades débutaient à 9 h. Au lieu de ne voir qu'une personne à la fois, on avait planifié que Tania se déplace dans les hôpitaux et visite toutes les chambres, quelle que soit la gravité des maladies. On avait initialement indiqué une préférence pour les malades atteints plus gravement ou avec charge familiale, mais l'idée fut rejetée afin d'éliminer le trop long processus de sélection.

Tania et Nicole prirent le petit-déjeuner ensemble à la chambre de Tania. Le reste de l'équipe mangea au restaurant qui donnait sur la piscine. À 8 h 30, tous quittèrent l'hôtel en minibus, escortés de policiers, qui ouvrirent le chemin jusqu'à l'hôpital La Quintinie.

Une foule bruyante et colorée les attendait. Amir et ses hommes entourèrent Tania et son escorte de marche. Les assistants rouges, comme Bernard les appelait, commencèrent à chanter et la foule, dès le deuxième refrain, les accompagna, battant le rythme des mains.

Les policiers se postèrent aux portes de l'hôpital et empêchèrent la foule de suivre Tania et ses aides à l'intérieur. Amir, par contre, lui emboîta le pas avec ses six gardes.

Débuta la visite aux malades, étage par étage. Tania entrait dans chaque chambre, chaque salle, s'approchait des personnes alitées ou assises, leur demandait comment elles allaient, souriait. Elle avait remplacé sa robe blanche à capuchon par un short bermuda et un polo, blancs, inondant de sa lumière tous ceux qu'elle approchait. La réaction était instantanée: à sa vue on s'exclamait, certains faisaient un signe de croix, d'autres pleuraient.

La visite dura jusqu'à 11 h. Plus de cinq cents lits furent approchés.

Tania et son cortège remontèrent dans le minibus et, précédés des policiers qui ouvraient le chemin, se dirigèrent vers leur deuxième établissement, l'Hôpital Général de Douala.

Là encore, la foule les attendait. Et plus de six cents malades furent brièvement exposés à la lumière de Tania. Cette deuxième étape ne se termina qu'à 15 h. Toute l'équipe était fatiguée, n'avait pas déjeuné, et retourna à l'hôtel.

Tania avait vu plus d'un millier de malades, dont plusieurs atteints du sida, car les deux hôpitaux étaient des centres agréés de traitement de cette maladie et d'éducation sur le vih/sida. Douala comptait six autres grands hôpitaux de district. Tania en visita trois le lendemain.

Le jeudi, tôt le matin, l'équipe quitta Douala pour Yaoundé après un difficile trajet de l'hôtel jusqu'à l'aéroport. Non seulement les gens s'étaient massés à plusieurs endroits le long du parcours, mais l'état des routes forçait le véhicule à ralentir, qui devait rouler à peine à quelques kilomètres à l'heure par moment. Le minibus les débarqua à l'avion même, le vol intérieur ne nécessitant pas de contrôle spécial.

Le vol ne dura pas vingt minutes. Dès qu'ils se furent immobilisés à l'aéroport Yaoundé-Nsimalen, l'escorte policière et le minibus qui les attendaient se dirigèrent vers l'avion et on les conduisit immédiatement à l'hôtel Hilton, presque une heure de trajet compte tenu de l'affluence sur les routes. Comme l'heure exacte de leur arrivée n'était pas connue à l'avance, personne ne les attendait. Par contre, l'escorte policière attira des curieux et on reconnut Tania lorsqu'elle descendit du minibus.

L'équipe s'installa à l'hôtel. Peu de temps après, tout le monde était prêt.

Première visite: l'Hôpital Général, au nord-est de la ville.

Bien sûr, la foule y était. Colorée, bigarrée, comme à Douala. En descendant du minibus, Amir remarqua un visage blanc parmi les personnes postées près de la porte de l'hôpital. Puis il en vit un second, à quelques mètres du premier, mais de l'autre côté de la porte. Le cortège se formait à la sortie du minibus et il demanda à ses hommes de se rapprocher de Tania, de l'entourer.

En passant la porte de l'hôpital, il nota que le type au visage blanc à sa droite faisait un signe particulier à son homologue placé de l'autre côté, à sa gauche. Il ne put comprendre la nature du message, si c'était bien un message.

Comme à Douala, Tania pénétra dans chaque chambre, s'approcha de chaque malade. Au moins cinq cents personnes, qui toutes s'exclamèrent ou réagirent en la voyant.

La tournée dura près de deux heures.

Les visiteurs se dirigèrent vers la sortie. Amir essaya de voir si les deux visages blancs étaient encore présents, mais il ne remarqua rien. La foule était trop dense. Le cortège sortit et les assistants rouges entonnaient leur chant lorsque Tania s'arrêta et cria:

— Bernard! C'est Beppi Panetto!

Au même moment, les deux Blancs, dont l'un ressemblait étrangement à Beppi Panetto, repoussèrent violemment les gens près d'eux, dégainèrent des pistolets et tentèrent de se rapprocher du cortège, duquel ils étaient à environ sept ou huit pas.

Amir réagit instantanément. Il hurla un ordre à ses hommes et, se jetant sur Tania, la couvrit de son corps en tombant sur le sol. Les six gardes dégainèrent leurs armes et firent rempart autour d'Amir et Tania. La foule réalisait maintenant ce qui se passait et une panique s'ensuivit. Panetto et son complice firent feu sur les gardes, dont deux tombèrent au sol. Les autres ripostèrent, atteignant les agresseurs. En tombant, Panetto réussit à se rapprocher un peu plus près et fit feu à trois reprises sur Amir et Tania avant d'être finalement abattu par les gardes.

La fusillade avait duré une minute. Le complice de Panetto, blessé, réussit à s'enfuir. Quelques secondes après les échanges de coups de feu, les policiers de l'escorte s'activaient autour d'Amir, de Tania et des gardes blessés tout en essayant de contrôler la foule. Amir était grièvement touché, mais Tania était indemne. Bernard et les deux jeunes assistants en rouge n'avaient pas été blessés. Bernard courut d'abord vers Tania pour s'assurer qu'elle n'avait pas été touchée.

Plusieurs médecins et infirmières sortirent de l'hôpital et on fit venir des civières pour transporter les blessés. Les deux gardes avaient été atteints aux jambes et aux bras, et leurs blessures n'apparaissaient pas trop graves. Amir, par contre, était inconscient et Tania était à genoux à ses côtés.

Reprenant rapidement ses sens, Bernard s'approcha du type qui ressemblait à Panetto. Une infirmière était penchée sur lui, ainsi qu'un policier.

— Il est mort, dit l'infirmière en se relevant.

— Qui est-ce? demanda Bernard.

Le policier fouilla dans la poche intérieure du blouson de l'individu et en extirpa un portefeuille qui contenait un passeport et quelques cartes d'affaires. Il ouvrit le passeport, en feuilleta rapidement les deux ou trois premières pages, puis le tendit à Bernard. C'était un passeport français au nom de Jean Valbon, et la photo était bien celle du type en question.

Le policier lui remit alors une des cartes d'affaires. Elle portait aussi le nom de Jean Valbon, puis l'inscription « Représentant commercial », le sigle de Citroën et une adresse à Paris, avec numéros de téléphone et de télécopieur. Bernard garda la carte d'affaires et remit le passeport au policier.

Tania suivit Amir à l'intérieur de l'hôpital. Les policiers avaient réussi à éloigner la foule; Bernard et les membres de l'équipe TTF se joignirent à Tania.

Amir avait repris conscience. Il était blessé au dos et ne bougeait pas. On le transporta vers une salle de traitement où Tania et l'équipe du TTF ne purent entrer. On les conduisit plutôt vers une petite salle d'attente où, anxieux et ébranlés, ils attendirent les informations sur l'état d'Amir. Les gardes se postèrent à la porte de la salle d'attente.

Les deux gardes blessés plus légèrement avaient aussi été conduits aux urgences et étaient en traitement.

Une heure plus tard, un médecin vint les prévenir qu'Amir allait s'en tirer. Il avait été atteint de deux balles. L'une avait traversé l'épaule droite et laissé une blessure superficielle. La deuxième avait touché l'omoplate gauche, avait ricoché sur l'os et était ressortie près du cou. Il avait perdu du sang, mais sa vie n'était pas en danger. On le garderait sous observation pendant quelques jours.

Tania s'informa des deux gardes blessés. Quelques minutes plus tard, une infirmière vint leur annoncer que leurs blessures avaient été soignées et qu'ils pourraient quitter l'hôpital dans quelques heures.

Bernard sortit de l'hôpital. Il y avait encore des policiers sur la scène de l'attentat et il leur demanda de les escorter jusqu'à l'hôtel Hilton. Tania et les autres de l'équipe TTF sortirent à leur tour, montèrent dans le minibus et tous retournèrent à l'hôtel.

De retour à sa chambre, Bernard fit un appel d'urgence au Mentor. Il ne se soucia même pas de l'heure à Washington. Le Mentor l'écouta sans dire un mot. Quand Bernard eut terminé, le Mentor lui posa quelques questions.

— Vous dites que Tania et vous-même avez reconnu Beppi Panetto, l'agent du Vatican?

— C'est exact.

— Et que selon le passeport de cet homme ainsi que sa carte d'affaires, ce n'était pas Beppi Panetto, mais Jean Valbon, un représentant de la compagnie Citroën, basé à Paris?

— Oui.

— Donnez-moi le numéro de téléphone apparaissant sur la carte d'affaires.

Bernard obtempéra.

— Rappelez-moi demain dans l'avant-midi, heure de Washington, monsieur Dunn.

Et il coupa la communication.

Les deux gardes de sécurité blessés revinrent à l'hôtel le lendemain matin, l'un avec un bras en écharpe et l'autre marchant avec une canne. Ils étaient allés rendre visite à Amir avant de quitter l'hôpital et rapportèrent qu'il se portait mieux. Tania les fit monter à sa chambre, sachant que l'exposition à sa lumière favoriserait leur guérison.

En après-midi, Bernard rappela le Mentor, tel que convenu. Ce dernier lui rapporta que leurs recherches n'avaient pu trouver de Jean Valbon travaillant pour Citroën en France. Le seul Jean Valbon qu'ils avaient déniché était un paysan âgé du Poitou, avec lequel ils étaient entrés en contact. Ils avaient aussi communiqué avec le Conseil Pontifical Justice et Paix et parlé à Beppi Panetto, ou du moins à quelqu'un s'identifiant comme étant Beppi Panetto, au service de Pietro Gordini. Ils n'avaient pu joindre monsieur Gordini.

Bernard fit part de cette conversation à Tania. Il était convaincu que le Vatican cherchait à les neutraliser et avait sacrifié un de ses agents à cette fin. Tania ne réagit pas. Elle revivait encore les moments difficiles vécus la veille et s'inquiétait d'Amir.

— Nous devons couper court à ce voyage, indiqua Bernard. Amir ne pourra pas nous aider pendant plusieurs jours et nous ne pouvons pas donner suite aux engagements que nous avons pris.

— Non, répondit Tania. Je propose plutôt que nous réalisions le reste de nos engagements. Au besoin, nous allons prolonger notre séjour. Nos gardes se chargeront de notre sécurité même si Amir ne nous accompagne pas.

Les journaux locaux rapportèrent l'attentat, de même que la télévision du pays. Un policier était interviewé et raconta l'incident laconiquement.

Dès la diffusion de cette nouvelle, les agences de presse internationales s'emparèrent de l'histoire. Certaines émissions essayaient d'analyser l'événement, d'en déterminer les causes, les conséquences sur Tania et le TTF.

Yossef appela Tania dès qu'il apprit l'attentat. Rassuré sur son état de santé et celui de Bernard, il la questionna longuement sur les raisons d'un tel voyage, les dangers qu'il comportait et les motivations profondes qui l'amenaient à prendre de tels risques. Ces propos la firent réfléchir, car elle n'avait jamais envisagé la situation sous un tel angle.

Le séjour au Cameroun se termina quatre jours plus tard. Ils s'étaient rendus dans plusieurs petites villes et villages du pays, visitant des hôpitaux de district, souvent de dimension appréciable. L'armée les avait accompagnés partout.

Amir avait reçu son congé de l'Hôpital Général de Yaoundé la veille de leur retour aux États-Unis, et il se portait bien.

Chapitre 33

Amir et les deux gardes blessés se remirent très rapidement de leurs blessures. Évidemment, les médecins étaient étonnés, mais l'effet Tania était connu et on ne cherchait plus à expliquer les guérisons qu'elle provoquait.

Tania avait décidé de prendre quelques semaines de réflexion. Les derniers mois avaient non seulement été éprouvants, ils remettaient en cause ce qu'elle appelait sa mission.

Elle ne s'interrogeait plus depuis longtemps sur la nature de l'accident qui avait transformé sa vie. La médecine officielle avouait son impuissance à l'expliquer depuis le début. Mais de plus en plus elle en cherchait la raison. Ou plutôt elle se cherchait elle-même.

Initialement, elle avait cru de son devoir de faire bénéficier les malades de ses pouvoirs de guérison, au mépris de ses aspirations. De toute façon, selon ce qu'elle croyait alors, sa vie s'engageait dans une direction où les plaisirs et les joies d'une vie de femme normale lui seraient refusés. Elle n'avait pas porté attention ni cherché à comprendre les raisons réelles de la surveillance exercée par la CIA. Même l'Église, elle en prenait conscience maintenant, l'observait depuis les tout premiers moments.

Elle voyait mieux que ce qu'elle appelait sa mission serait continuellement en péril. Trop d'intérêts extérieurs guettaient chacun de ses gestes, cherchant soit à se rattacher au surnaturel que représentaient ses pouvoirs à leurs yeux ou, pire, à lui nier le droit de posséder ces pouvoirs, par crainte de troubler une structure politico-sociale dont ils bénéficiaient amplement.

Dans ce contexte trouble, continuer ses interventions auprès des malades, quelle que soit la façon de les réaliser, ne changerait rien. On chercherait à la neutraliser. Et fort probablement que l'Église y réussirait. Elle avait le bras long, et elle se sentait trahie.

Finalement, seul Yossef semblait lui offrir une voie différente. Elle se souvenait des quelques jours passés à Oued Ellil comme de vacances. Des vacances, croyait-elle, qui pourraient se transformer en une nouvelle vie.

Elle rêvait à Yossef depuis trop longtemps. C'était sûrement le contrecoup des bouleversements qu'elle avait subis depuis l'accident. Mais même si elle savait que Yossef s'intéressait à elle, elle l'imaginait trop préoccupé par l'Agneau lumineux de Dieu pour envisager d'autres orientations de vie.

Mais l'était-il vraiment? Comment pouvait-elle mieux mesurer l'effet d'une alliance avec lui? Et quel genre d'alliance?

Elle fit participer Bernard à ses réflexions. Pour la première fois, ils remirent en question ensemble les buts et les objectifs du TTF à la lumière des événements des derniers mois. Et la conclusion qui insidieusement s'imposait était toujours la même: le TTF était devenu la cible de groupes et d'intérêts puissants qui cherchaient à l'éliminer, ou à le contrôler. Son mandat deviendrait donc rapidement irréalisable.

Tania introduisit alors sa préoccupation plus profonde. Elle aborda le sujet lors d'une conversation à bâtons rompus autour d'un café, après un dîner avec Bernard.

— Que penses-tu réellement de l'Agneau lumineux de Dieu? lui demanda-t-elle.

— En toute honnêteté, je ne sais pas comment te répondre. Si on observe l'évolution récente du mouvement, ils semblent s'éloigner du renouveau islamique prêché depuis leurs débuts. Mais il est difficile de saisir où cette évolution les mènera.

— Yossef t'en a-t-il déjà parlé? Vous avez échangé beaucoup ensemble, avant ma libération des « griffes du Vatican », comme tu dis.

— Il m'en a parlé en termes très généraux. En fait, il n'a fait que m'indiquer l'universalisme plus évident du mouvement depuis peu. Il se référait à son *Petit Livre* à ce sujet.

— J'ai été impressionnée par ce fameux *Petit Livre*.

— Moi aussi. Il semble être le résultat des apports de ses nouveaux adjoints. Samir Haddad, Rafik Chakroun et Ahmed... quelque chose, je ne me souviens plus de son nom.

— Ben Salem, je crois.

— Oui, c'est ça. T'a-t-il parlé de ce sujet?

— Tu veux dire du *Petit Livre?*

— Non, l'évolution de l'Agneau lumineux de Dieu.

— Oui.

Bernard garda le silence.

— Pourquoi ne pas lui demander de venir discuter des conditions d'une alliance possible avec nous? demanda Tania.

— Ça t'intéresse à ce point?

— Oui.

— Tu sais que Yossef m'a déjà demandé si tu te joindrais à l'Agneau lumineux de Dieu.

Tania le regarda pendant un bon moment.

— Par intérêt pour lui-même ou pour le mouvement?

Bernard éclata de rire.

— Les deux, je crois.

Bernard appela Yossef le lendemain.

Il lui fit part des réflexions du TTF à la suite des péripéties des derniers mois et de leurs questions concernant l'Agneau lumineux de Dieu. Tania et lui-même, disait-il, soupesaient la possibilité d'un rapprochement avec son mouvement, ce qu'ils avaient déjà envisagé, mais ils désiraient approfondir ce scénario. Il l'invitait à Boston, pour le temps qu'il faudrait.

Yossef acquiesça sur-le-champ. Non seulement le sujet invoqué justifiait-il le déplacement, mais il se rapprocherait de Tania.

À cause des travaux et préparatifs de la Fête de la lumière, qui nécessiteraient une présence de plus en plus grande à mesure qu'on s'approcherait du 21 mars, il proposa de se rendre immédiatement à Boston.

Il y était le surlendemain.

Bernard avait fait réserver une chambre à l'hôtel Radisson, que Yossef connaissait déjà, et envoyé Amir le prendre à l'aéroport. Yossef ne prit que le temps de se rafraîchir avant qu'Amir le conduise à l'hôpital militaire où résidait toujours Tania. Celle-ci et Bernard l'attendaient impatiemment.

Même si son appartement ne lui permettait pas de préparer des repas gastronomiques, Tania avait pris le temps de concocter un plat mijoté accompagné de légumes et d'une salade. Pour dessert, des fruits. Du vin aussi, pour Bernard surtout.

Bernard remarqua qu'elle portait une robe très seyante ainsi que le collier que Yossef lui avait offert en cadeau le jour de Noël. Sa coiffure était particulièrement réussie. Pour Yossef, songea-t-il en ajustant son veston, car on frappait à la porte.

On prit un peu de vin, on s'échangea des nouvelles. C'étaient des retrouvailles et l'atmosphère était détendue. Tania s'excusa de ne pas être en mesure de préparer des repas plus élaborés, mais c'était délicieux. Pour Tania, c'était un retour à une réalité qu'elle ne connaissait plus depuis son accident.

Vers 22 h, Yossef prétendit être fatigué et Bernard alla lui-même le reconduire à son hôtel. Ils prirent rendez-vous le lendemain, à 9 h, à l'hôpital militaire, dans la salle de réunion réservée au TTF.

Yossef s'était préparé. Il leur rappela en quelques phrases les transformations récentes de l'Agneau lumineux de Dieu, insistant encore une fois sur la non-confessionnalité de leur nouvelle approche.

— Comment voyez-vous le mouvement dans, disons, cinq ans? demanda Bernard.

— Nous en avons discuté. Mais il est impossible de prévoir si loin en avant. Les événements nous bousculent.

— Ma question est mal posée. Je me reprends: quels sont vos objectifs, qu'aurez-vous accompli dans cinq ans?

Yossef réfléchit un moment avant de répondre. Il regardait Tania. En fait, il se demandait si le temps était propice à l'inviter à se joindre à l'Agneau lumineux de Dieu. Il décida d'attendre.

— Nous croyons que le mouvement va se répandre beaucoup plus rapidement maintenant. Le *Petit Livre* nous y aidera. Pour être tout à fait honnête, nous entrevoyons sérieusement prendre prise en Amérique et en Europe cette année même. Vos récents démêlés avec le Vatican vont nous aider. L'Afrique du Nord est à toutes fins utiles avec nous. Quant au Moyen-Orient, c'est problématique. Mais nous nous attendons à des progrès.

— C'est vrai que le Vatican n'est pas dans la meilleure des positions, dit Tania.

— Philosophiquement, Yossef, comment votre position évoluera-t-elle maintenant ? Vous avez fait de grands pas. Y en a-t-il d'autres de prévus ? demanda Bernard.

— Non. Nous n'avons pas de plan d'évolution, Bernard. Ce serait irréaliste. Machiavélique, même.

— Vaticanesque, peut-être ? s'interposa Tania en riant.

— C'est un mot à ajouter à mon vocabulaire, répliqua Yossef.

— Il n'y a peut-être rien de prévu, mais soyons réalistes: que pouvons-nous anticiper ? Si on s'attarde aux réactions possibles des communautés actuelles, que peut-il se produire ? demanda encore Bernard.

Ces questions lancèrent une discussion qui ne se termina qu'avec le lunch.

L'après-midi, Yossef aborda le sujet de la Fête de la lumière. Il en rappela la raison, les buts aussi, et s'attarda sur son organisation.

Bernard et Tania insistèrent sur le symbolisme de la Fête et ses retombées, compte tenu de l'offre de l'Agneau lumineux de Dieu d'aider les gens à s'y rendre en payant une partie de leurs frais de déplacement.

Ce dernier point fut débattu longuement. Yossef avait pensé à des formalités basées sur des preuves de transport, mais Bernard suggéra plusieurs autres possibilités.

Yossef voulut inviter Tania pour le dîner, mais elle lui fit comprendre qu'il lui était impossible de sortir de la base militaire, sa présence dans tout lieu public suscitant des attroupements. De plus, elle voulait se reposer.

Bernard proposa plutôt un repas dans un restaurant près de l'hôtel, mais Yossef prétendit aussi vouloir se reposer. Finalement, on se reverrait le lendemain matin à 9 h.

Tania comprenait mieux l'Agneau lumineux de Dieu maintenant. Même s'ils n'avaient pas planifié leur cheminement à long terme avec une grande rigueur, leur vision était assez réaliste. Le TTF ne pouvait prétendre avoir mieux agi: il n'avait aucune vision d'ensemble, sinon la mission d'aider les malades.

Elle passa une partie de la soirée à imaginer ce que pourrait devenir l'Agneau lumineux de Dieu si elle s'y joignait.

Le lendemain, tous étaient frais et dispos, et la rencontre s'amorça sur un ton joyeux. Comme à chaque réunion du matin, du café et des beignets étaient servis.

Tania résuma très rapidement les discussions de la journée précédente et posa la même question qu'elle avait posée plusieurs mois auparavant lorsque Yossef était venu à Boston:

— Comment pouvons-nous vous aider?

Yossef était prêt. Lui aussi avait passé une partie de la soirée à envisager les possibilités qui s'ouvriraient si le TTF se joignait au mouvement.

— Tania, j'en ai déjà glissé mot à Bernard il y a un bon moment. Et je suis persuadé que vous y songez. Je vais plutôt vous demander: Pouvons-nous retourner ensemble à Oued Ellil?

Tania resta bouche bée. Yossef lisait-il dans ses pensées? Bernard de son côté ne paraissait pas surpris. Il esquissa un petit sourire et lui demanda:

— Êtes-vous si sûr de la réponse?

Yossef ne répondit pas. Les deux mains sur la table de travail, il regardait Tania assise en face de lui et attendait, cachant son impatience.

Tania prit finalement la parole.

— Je n'ai pas consulté Bernard, Yossef, mais voici ma réponse. Le TTF accepte de se joindre à l'Agneau lumineux de Dieu.

Bernard renchérit aussitôt:

— Je m'y attendais Tania, comme tu le sais. C'est une bonne décision. J'abonde dans le même sens.

Après s'être serré la main et mutuellement félicités, on se mit au travail afin d'élaborer un programme d'incorporation du TTF aux activités de l'Agneau lumineux de Dieu. Tout l'aspect financier fut délibérément mis de côté. Bien que les deux organisations soient sans but lucratif, les difficultés reliées à l'intégration d'une société américaine à une société nord-africaine nécessitaient la consultation de spécialistes.

À la fin de la journée, Tania invita Yossef, seul, à dîner chez elle. Elle en avait prévenu Bernard le matin. Yossef la suivit donc à son appartement.

Elle se changea d'abord, et revint portant une robe sans manches un peu décolletée ainsi que le collier qu'il lui avait offert en cadeau.

— J'apprécie cette invitation, Tania. Nous n'avons jamais réellement eu le loisir d'être seuls ensemble.

— Je crois qu'il serait temps de nous tutoyer, ne crois-tu pas?

Yossef leva son verre en signe d'assentiment.

— Tu te souviens de notre marche au bord de la mer? lui demanda-t-elle.

— J'y pense souvent, Tania.

— Je voulais avoir le temps de réfléchir.

Yossef ne dit rien.

— Tu me demandes réellement de retourner à Oued Ellil avec toi?

— J'ai été trop direct, je le sais. Mais oui, je te demande si tu acceptes de revenir à Oued Ellil avec moi. Notre mission est là-bas.

— Notre mission, Yossef?

Yossef la fixait des yeux. Il avait un désir fou de la prendre dans ses bras et de la serrer contre lui. Alors il se leva, se dirigea vers elle et l'enlaça. Elle était plus petite que lui et levait la tête pour le regarder. Il la serra contre lui et l'embrassa sur la bouche, délicatement.

— Tu sais très bien que je t'aime, Tania.

C'était la confirmation qu'elle espérait, à laquelle elle rêvait depuis trop longtemps, sur laquelle elle avait même déjà commencé à bâtir une vie à deux, fictive jusqu'à maintenant.

— Et toi aussi, tu sais très bien que je t'aime, Yossef.

Elle l'embrassa longuement dans une étreinte fougueuse, sans retenue. Elle se pendait à son cou, pressée contre lui, et il lui retournait son baiser, jusqu'à ce qu'il la soulève dans ses bras et la porte vers la chambre. Tout en l'embrassant, il défit la fermeture éclair au dos de sa robe, dégrafa son soutien-gorge et lui caressa le dos, les reins, doucement. Tania se sentait envahie par un sentiment de total abandon, de confiance entière envers Yossef.

Il finit de la dévêtir et, nue devant lui, il la regardait, ébloui par sa lumière, sa gracilité. Il se dévêtit à son tour, puis la prenant dans ses bras, la déposa sur le lit et s'étendit à ses côtés, l'embrassant tout en la caressant doucement, sur les épaules, les seins, le ventre. Tania cambrait les reins sans s'en rendre compte, envahie de sensations et de contractions qu'elle ne connaissait plus depuis son accident. Sa propre lumière se réverbérait en elle, illuminait un amour qu'elle savait maintenant partagé, qui la complétait et dans lequel elle se fondait. Doucement, sachant qu'elle était prête, il s'inséra en elle et lui fit l'amour, tendrement, lentement, surveillant chaque soupir, chaque plainte, chaque gémissement, jusqu'à ce qu'elle atteigne l'orgasme. C'était irréel: Tania et Yossef ne faisaient plus qu'un, elle s'accrochant à une plénitude qu'elle ne voulait plus quitter et lui réalisant finalement que la vie, c'était elle, et que sans elle il n'y avait plus de vie. Alors il se permit de la rejoindre. Il se fondit en elle, une ombre chaude sur une ondulation de lumière, de plaisir.

Elle resta longtemps étendue près de lui, la tête sur son épaule, en paix. Finalement, et pour la première fois depuis son accident, en paix, de façon totale, complète.

— Je t'ai aimée dès que je t'ai vue, dit-il. C'était inconscient, mais j'avais l'impression que tu m'attendais, que tu étais là pour moi.

Elle ne répondit pas, se bornant à se coller plus près contre lui, à se cacher en lui.

— Tu te rends compte de ce que nous allons pouvoir accomplir ensemble? reprit-il.

— J'y pense depuis un bon moment.

Ils se mirent alors à rêver tout haut de leur avenir, de leur vie à deux.

Chapitre 34

Tania quitta son appartement deux semaines après la visite de Yossef à Boston.

Bernard décida de ne pas informer la CIA de leur décision de se joindre à l'Agneau lumineux de Dieu avant que Tania ne soit rendue à Oued Ellil. Il avait d'ailleurs lui-même accepté d'accompagner Tania et de travailler à partir d'Oued Ellil, du moins pendant un certain temps. Le TTF garderait cependant son siège social de Boston jusqu'à ce que les aspects financiers de la fusion projetée aient été réglés.

L'hôpital militaire non plus ne fut pas immédiatement informé du départ probablement définitif de Tania vers Oued Ellil. Bernard craignait une intervention qui empêcherait Tania de quitter la base, sans être en mesure de trouver un réel fondement à cette crainte.

Tous deux arrivèrent à Tunis accompagnés d'Amir quelques semaines avant la Fête de la lumière, à bord d'un avion nolisé, comme ils le faisaient toujours à cause de la notoriété de Tania. Yossef avait pris des mesures pour faciliter leur transit à l'aéroport: il avait informé le ministre des Affaires religieuses, Zine Chikri, de la décision du TTF de se joindre à l'Agneau lumineux de Dieu ainsi que de l'arrivée de Tania et Bernard sous peu, et le ministre lui avait offert de les accueillir à l'aéroport.

À Oued Ellil, Tania, Bernard et Amir furent reçus en triomphe. Ahmed, Rafik et Samir comprenaient parfaitement la portée de la fusion avec le TTF, laquelle représentait non seulement un apport financier de taille, mais surtout l'adhésion de Tania au mouvement, une occasion formidable de déborder du Maghreb et de s'implanter en Amérique.

Leur arrivée fut fêtée par toute l'équipe de la Maison de l'agneau. Yossef profita de l'occasion pour annoncer sa liaison avec Tania, sachant qu'il leur serait impossible de cacher leur amour. À sa surprise, il constata que cette annonce n'était pas une révélation. La plupart des gens présents étaient au courant. Les gardes de sécurité qui les avaient accompagnés lors de leur promenade au bord de la mer à peine quelques mois auparavant n'étaient pas restés silencieux.

Yossef avait fait aménager des chambres pour Tania et Bernard, et Amir reprit ses anciens quartiers. Une vie commune n'était pas possible pour le moment, des quartiers spéciaux, ou une résidence proprement dite, n'étant pas encore disponibles.

*

Les préparatifs finaux de la Fête de la lumière accaparaient tout le monde. La ferme qu'on avait achetée pour servir de lieu de rassemblement était totalement transformée. Un immense stationnement recouvert de pierre concassée pouvait accueillir plus de trois mille voitures et autobus. On accédait à une espèce de grande arène gazonnée après avoir franchi une rangée de postes de vérification permettant l'entrée rapide des visiteurs. Un podium surélevé d'à peine cinquante centimètres était placé au centre de l'arène, et des allées de circulation délimitées par des câbles soutenus par des petits poteaux chromés permettaient de rejoindre et de quitter le podium. L'ensemble était très grand, énorme, et devait permettre à des milliers de personnes de circuler. Plus loin, deux abris temporaires logeaient une salle de réunion pouvant accommoder quelques centaines de personnes et une infirmerie, avec une cinquantaine de lits. Enfin, des installations sanitaires étaient disponibles à plusieurs endroits.

L'Agneau lumineux de Dieu avait fait appel à ses membres pour la circonstance, et on procédait actuellement à la formation des bénévoles devant accueillir, diriger et contrôler les visiteurs, probablement des malades pour la plupart. Ahmed Ben Salem avait mis Amir en charge de la sécurité et ce dernier entraînait son personnel à cette fin, plus de deux cents bénévoles et quelque trente membres des services réguliers de l'Agneau lumineux de Dieu. Un petit corps d'élite, comme Amir aimait le dire, avait reçu un entraînement particulier et devait être constamment déployé autour de Tania et de l'agneau.

Ahmed annonça aux médias que l'Agneau lumineux de Dieu invitait quiconque le désirait à la Fête de la lumière. Mieux, il mentionna que l'organisation avait institué un fonds d'aide aux grands malades nécessiteux de façon qu'ils puissent venir aussi profiter de la lumière de l'agneau, et indiqua comment procéder pour faire une demande. Surtout, il révéla que Tania Fixx serait présente à la Fête de la lumière.

Cette annonce déclencha une tornade de demandes d'aide et d'informations de toutes parts. Ahmed avait prévu cette réaction: un service d'analyse procéda rapidement à leur traitement. Les fonds réservés, plus de deux millions de dollars, furent rapidement écoulés.

Bernard de son côté se préparait à recevoir les journalistes, reporters et délégués d'agences de nouvelles qui envahiraient les lieux le jour de la Fête.

Le 21 mars arriva. La Fête de la lumière. Elle se déroulerait sur trois jours, les 21, 22 et 23 mars.

Comme des milliers de visiteurs étaient arrivés la veille, à bord d'autocaravanes, de tentes-roulottes ou de simples voitures munies d'un équipement de camping rudimentaire, les services de sécurité avaient été déployés dès le matin du 20 mars. Plusieurs s'étaient présentés durant la nuit et, à 6 h, s'étaient massés le long des postes de contrôle d'entrée.

Les visiteurs furent admis à partir de 8 h. Ahmed estima qu'au moins cinq mille personnes attendaient l'ouverture, et les arrivées se faisaient maintenant de façon massive.

Dès leur entrée, les visiteurs étaient pris en charge par des assistants vêtus de djellabas bleues, qui les dirigeaient vers les allées qui menaient au podium. Les personnes en fauteuil roulant étaient traitées de façon préférentielle, une voie réservée les amenant vers le podium. Plusieurs gardes de sécurité circulaient dans cette foule le long des corridors d'accès.

Sur le podium, d'à peine deux mètres de diamètre, était assise Tania, avec l'agneau à ses pieds. Elle portait une robe blanche sans manches, qui lui tombait jusqu'au bas des genoux, et était pieds nus. L'agneau était devant elle, couché. Leur lumière rendait la scène tout à fait fantastique.

Les visiteurs et malades arrivaient près du podium et pouvaient presque toucher l'agneau et Tania. Ils étaient assez près pour être baignés de leur lumière, ce qui était le but de leur visite. Les allées de circulation avaient été disposées pour que les malades puissent marcher ou passer autour de Tania et de l'agneau, sauf à leur gauche ou leur droite immédiates, où quatre gardes de sécurité, deux à gauche, dos à dos, et deux à droite, également dos à dos, les protégeaient.

Tania prenait une pause de quelques minutes aux deux heures, et on en profitait pour promener l'agneau. Durant ces pauses, la foule attendait. Lorsque Tania se déplaçait, dix gardes l'entouraient.

La salle de réunion servait à la communion. Quiconque le désirait pouvait adhérer à l'Agneau lumineux de Dieu en recevant un *Petit Livre* et en communiant. Il suffisait de prendre une gorgée de vin servie dans un petit gobelet plastifié jetable, un rite simple mais imprégné d'un symbolisme solennel. Yossef et plusieurs assistants répondaient aux questions.

Tania prit une pause d'une heure à l'heure du lunch. Elle en prit une deuxième d'une heure pour le dîner et elle quitta la ferme, comme on appelait encore l'endroit, à 22 h.

Selon Ahmed, près de cent mille personnes avaient défilé devant Tania et l'agneau. Sans tumulte, sans bousculade. Seulement une dizaine de personnes avaient visité l'infirmerie par suite de malaises.

Bernard avait passé plusieurs heures en entrevues avec des reporters des journaux locaux et des chaînes de télévision nord-africaines. Évidemment, CNN, la BBC et Al Jazeera avaient dépêché des représentants et l'avaient aussi interviewé.

Le lendemain et le surlendemain, Tania, toujours avec l'agneau à ses pieds, continua à s'exposer aux visiteurs. La dernière journée se termina à 18 h pour permettre aux gens de quitter les lieux avant la nuit.

Au total, au moins deux cent cinquante mille personnes avaient bénéficié de la lumière de Tania et de l'agneau au cours des trois journées et plus de cinquante mille avaient communié.

Durant la deuxième journée, la foule s'était mise à chanter le refrain que les assistants rouges entonnaient lors des visites de Tania aux hôpitaux. Ce fut un moment spécial, une consécration en quelque sorte de la fusion du TTF avec l'Agneau lumineux de Dieu.

Dès la fin de la Fête de la lumière, une photo fit le tour du monde: c'était un gros plan de Tania, en robe blanche, pieds nus, l'agneau à ses pieds, tous deux resplendissant de leur propre lumière. La photo portait simplement le titre: « L'AGNEAU LUMINEUX DE DIEU ».

Chapitre 35

Quelques semaines plus tard, le révérend John Calvin Harvey, un pasteur noir originaire d'Atlanta qui dirigeait une des plus importantes églises réformées des États-Unis, prononçait son sermon hebdomadaire du dimanche. Prédicateur intelligent et coloré, son sermon était toujours télévisé et écouté par des centaines de milliers de personnes.

Habituellement vêtu d'une longue toge noire, il portait ce dimanche-là un costume de ville gris foncé, une chemise blanche et une cravate couleur charbon. Grand et assez corpulent, c'était un personnage impressionnant.

Il s'approcha des micros, et, sous l'œil des caméras, commença son sermon.

— Mes amis, mes frères et mes sœurs. J'ai vécu dernièrement une expérience qui a bouleversé ma vie. Oui, bouleversé ma vie. Depuis ma plus tendre enfance, j'étais convaincu que Jésus et Dieu représentaient la vérité. Notre vérité. Et que cette vérité ne pouvait appartenir qu'à ceux et celles qui croyaient en lui. Et que ces gens seraient sauvés à la fin de leur vie. Qu'ils seraient admis au paradis.

Il marqua un temps de silence, fouilla dans sa poche de veston et en sortit un petit livre rouge vin, qu'il brandit au-dessus de sa tête.

— Et ce *Petit Livre* m'a convaincu que j'avais tort.

Il marqua encore une fois un temps de silence, la tête inclinée vers l'avant.

— Il m'a convaincu que j'avais tort. Non pas que je m'étais trompé. Non. Simplement que je n'avais pas considéré qu'une vérité supérieure, au-dessus des idées et des formules qui m'ont été enseignées et sur lesquelles j'ai bâti ma vie, qu'une vérité supérieure donc existait. Dans laquelle se fondent toutes les autres vérités, qui ne sont que des interprétations créées par nous, les hommes, pour tromper notre souffrance. Pour nous expliquer l'inexplicable. Pour accepter la mort. Et cette vérité supérieure m'a été montrée par un nouveau mouvement, une nouvelle vision de ce que nous sommes et de notre place dans l'univers. Elle m'a été montrée par l'Agneau lumineux de Dieu!

Il s'arrêta et posa le *Petit Livre* sur le lutrin devant lui.

— L'Agneau lumineux de Dieu, dont madame Tania Fixx, cet être de lumière et de charité, fait maintenant partie. Vous avez peut être été témoins de la Fête de la lumière, ce cérémonial de guérison qui a fait le tour du monde il y a quelque temps. Mes amis, mes frères, mes sœurs, j'étais présent à ce cérémonial. J'ai vu ces milliers de malades défiler devant Tania Fixx et son agneau. Quelle image sublime de paix, d'espérance! Mais ce qui est encore plus étonnant, c'est le message de renouveau que l'Agneau lumineux de Dieu propage. Pas ce que ce mouvement prêche, ou nous oblige à croire! Non, mes amis, mais qu'il nous indique, tout simplement. Pas qu'il nous force à accepter sous peine de punitions éternelles ou d'autres atrocités! Non, mes frères, mes sœurs, qu'il met à notre disposition. Simplement. À notre disposition. Pour en faire ce qu'il nous semble bon d'en faire.

Il reprit le *Petit Livre,* l'ouvrit et le remit sur le lutrin.

— Je vais vous lire le *Petit Livre.* Il est très court.

Il lut le *Petit Livre,* avec attention, s'arrêtant aux endroits qu'il jugeait plus importants pour en accentuer le message.

Il termina son sermon en disant:

— Voilà ce qui m'a bouleversé. Voilà ce qui, à partir d'aujourd'hui, devient ma nouvelle foi. Je ne renie pas mes anciennes croyances. Non. Je dis par contre qu'à partir de maintenant, une vérité supérieure m'habite, que je veux m'efforcer de transmettre, d'enseigner. Mes anciennes croyances étaient comme l'histoire qu'on raconte à un petit enfant. Elle est toute simple et pleine de merveilleux pour qu'il puisse la comprendre.

La vérité qui m'habite maintenant n'est pas une histoire. C'est une foi en nous, les hommes et les femmes de notre terre. Je veux l'expliquer à ceux et celles qui voudront bien m'écouter.

∽

Dans une église de Lima, au Pérou, un tout jeune prêtre catholique était prêt à dire sa messe dominicale, prévue à 10 h. L'église était à moitié pleine.

Il entra vêtu de son surplis et de ses accessoires sacerdotaux, demanda au servant qui devait l'assister de le laisser seul, puis, devant ses fidèles, enleva son surplis, ses accessoires sacerdotaux, et enfin sa soutane sous laquelle il portait une simple chemise blanche et un pantalon noir. Il monta en chaire.

— Mes amis, ce que je viens de faire doit vous surprendre. Mais je ne veux ni vous offusquer, ni vous imposer une cérémonie qui, selon moi, n'a plus sa place. Je veux plutôt profiter de l'occasion qui m'est donnée de vous adresser la parole et de vous communiquer des informations qui, selon moi toujours, dépassent le cadre de nos enseignements jusqu'à ce jour.

Il sortit alors le *Petit Livre* de la poche de son pantalon et le posa sur le lutrin devant lui.

— Je vais vous lire un petit livre d'à peine une vingtaine de pages. Portez attention à ce qu'il contient. Je le commenterai brièvement immédiatement après.

Il se pencha et commença à lire le *Petit Livre*.

La suite de ce roman paraîtra sous peu
sous le titre *Abjuration*.

La production du titre ***Absolution***
sur du papier Rolland Enviro 100 Édition
plutôt que du papier vierge réduit votre empreinte écologique de:

Arbre(s): 24
Déchets solides: 679 kg
Eau: 64 221 L
Émissions atmosphériques: 1 491 kg

Imprimé sur Rolland Enviro 100, contenant 100% de fibres recyclées postconsommation, certifié Éco-Logo, Procédé sans chlore, FSC Recyclé et fabriqué à partir d'énergie biogaz.

Cet ouvrage,
composé en Garamond Premier Pro 12,
a été achevé d'imprimer sur les presses
d'imprimerie Transcontinental Métrolitho,
en janvier deux mille dix
pour le compte
de Marcel Broquet Éditeur.